传统武术技击解构

王长松 著

山西出版传媒集团
山西科学技术出版社

自序

任何事物都有底层逻辑，所谓本质背后的本质。沿着这个思维逻辑，我们尝试对传统武术做一次解构，这更是一次哲学层面的探访。

为此，我们要对武术做一次“灵魂追问”。

武术的本质是什么？是技击。

技击的本质又是什么？是建立比较优势。

建立比较优势的本质是什么？是先手，所谓先手制机。

这种追问似乎让我们找到了武术的本质，但也带来了新的迷茫。

我们想更精准、更系统地对传统武术做一次解构，就必须做一次哲学思辨，首要的是厘清哲学与武术的关系。

众所周知，哲学是世界观、方法论，是探索宇宙人生真相的法门。如果哲学里没有对武术内容的诠释，它或许还是哲学，但似乎少了——武术作为高度对抗性的矛盾，而所能表达的鲜活的独有的思辨内涵。

武术是搏杀的技法，健身的方法，是人自我修身养性的门径。如果武术里没有对哲学思维的指引，它或许还是武术，但似乎遗失了——哲学作为探索宇宙万物本质规律，而所应当拥有的对武术实践的正确指导。

把武术放到哲学的思辨中去把握，把哲学放到武术的实践中去运用，这是本书的题旨，也就有了武术与哲学的亲近。

当哲学走进了武术，武术就有了灵魂，哲学也就有了更为丰富的肢体语言。按照辩证唯物主义的观点，矛盾无处不在，故哲学无处不在。武术的对抗性即是矛盾，所以可以用哲学矛盾论来解读武术的原则，这是武术天然的对抗性（矛盾性）使然，所以对武术的探讨，离不开哲学的思辨，为此也就可以有武术哲学。

哲学之所以称为哲学，它是对一切具体学问的最高抽象，所以它是指导一切实践活动的原则，又有一定程度的普适性，古人称之为“道”。道者，不可须臾离也，所离非道也。用哲学原理指导武术训练与实战，是哲学的天然包容性使然。所以哲学指导武术实战，武术才更符合规律性，为此也可以有哲学武术。

本书的写作宗旨，不是想通过武术把哲学弄得更丰富，而是想让哲学走进武术，让人们更多地看清武术的本质，从而喜欢武术，进而在哲学思维的指导下习练武术。本书没有更多的哲学阐发，而是想从作为哲学重要体系之一的辩证唯物主义视角，来解读和构建传统武术中已经阐发过且经过实战证明行之有效的技法原则。

这或许是一次冒险尝试，作者不敢奢求所谓的新意，更不敢奢求所谓的严谨，只求读者从平淡无奇的文字中，能够看到一些关于武术的本质，关于武术的真相。这也就够了！

可以肯定地说，本书在逻辑结构、文字表达上必有瑕疵，这里恳请方家多多批评指正！

题记

解构的本质是回归本质

武术传承中，有许多秘法、绝招，通常被人们视为不传之秘。也正是这些不传之秘，把民间武术玄学化、神秘化，而另一方面传统武术大师屡屡被击倒在擂台上，引发了传统武术到底能不能打的争议，从而影响了武术的传承。武术要健康地传承下去，必须用哲学思想的力量去破除所谓的不传之秘，解开传统武术为什么上不了擂台之谜。本书构建武术哲学和哲学武术的概念，旨在用辩证唯物主义的思想智慧破除迷信，对传统武术技击做一次深层次的解构，使武术重新回归到其本质。

武术哲学是把武术放到哲学的层面去思考，用唯物辩证法的方法论研究武术的原理与原则，偏重精神、意识与理法。哲学武术是把武术哲学的特殊性原理放到武术的实战中去运用和检验。旨在从空间、时间、路径、目标、流程等客观要素出发，以辩证唯物的观点来分析探寻决定胜负的内在方法，偏重招法、势法与技法。

概括地说，武术的目标是一切以实战为中心，发挥主观能动性，建立对立统一中的比较优势，以达成自己制敌。要用辩证唯物的思维使武术回到实事求是的轨道上来。

从哲学武术与武术哲学的视角来认识和习练武术，有三个绕不开的哲学命题。

一是矛盾规律，即对立统一规律。马克思主义哲学认为，对立统一规律是宇宙的基本规律。这个规律，不论在自然界、人类社会和人们的思想中，都是普遍存在的。矛盾着的对立面既统一，又斗争，由此推动事物的运动和变化。用更通俗的话讲，就是把两个事物或一个事物的两个方面放到同一时空或某个特定的场景下进行比较，在不同的层次和维度比较其长短优劣，从而引发事物内部相互斗争、相互转化的动力。从这个意义上讲，武术较技就是两个人或两方面的人在对立统一的场景内寻求比较优势的过程，在意识、胆识、力量、速度、技术等方面进行综合对比。这种对比分布在各个层面，贯穿于全过程。武术格斗的实质就是寻找对方的弱点，从而建立比较优势的过程。本书中构架的所有论点，实际上就是从不同层面建立武术格斗中比较优势的理念与方法，细分为意识层面、理法层面、势法层面、招法层面和技法层面。可以毫不夸张地讲，对立统一规律是构建本书基础和核心的依据，所有的观点都围绕这一规律展开。

二是物质决定意识，意识对物质有反作用。这一观点是辩证唯物主义哲学关于物质与意识关系的基本论断。物质与意识的关系是哲学的基本命题，物质是第一性，意识是第二性。物质决定意识，意识反作用于物质，既强调了物质的决定意义，又强调了主观能动性的发挥。武术作为人类的实践活动之一，必然不可回避地要处理物质与意识的关系问题。唯硬、唯快、唯强，是武术日常训练应追求的目标，“一力降十会，一快破千招，一硬顶百巧”。日常训练积累起来的速度、力度、硬度，才是真功夫，在实战中才是最硬气的实力和物质基础，同时对抗时的临场反应、形势判断、战术战法的应用等主观能动性发挥，对于胜败生死都起着不可小视的作用。若双方实力相当或相差不大，那么正确的战术或少犯错误则是制胜的关键。即便实力相差较大，但弱方如果战术正确，而强方出现战术错误，这时以弱胜强也不是完全没有可能。因此，智力因素在武术范畴更加鲜明地显示出意识对物质反作用的威力。习练武术必须高度重视除体能以外的精神、意志、胆量，武术认知、临场反应、战术应用等方面的训练。正确地处理好物质与意识的关系，对于武者是至关重要的哲学与现实问题。

三是实践是检验真理的唯一标准。武术较技是实践性、对抗性很强的人类实践活动。武术要在哲学层面正本清源，我们就必须回到，什么是检验武术的真正标准，这个最本质问题上来。按照辩证唯物主义的原则，实践是检验真理的唯一标准。对于武术，实战是检验功夫高下的唯一标准。能打才是硬道理，其余全为花法，华而不实之法。艺无止境，习无止求，真本事是打出来的。诚然，打出来的真本事必然要在打的实践中才能验证真伪。本书所有观点都围绕实战这一中心展开，都要在实战中得到验证才行。

道理既通，安有所谓秘密，所谓神妙！

道理不通，何处不是秘密，不谓神妙！

兵法如此，拳法亦如此，然则何法亦不如此！

目录

一、意识层面

（一）担当，强国强种

武术哲学的灵魂是武术精神。人无精神不立、国无精神不强。武术精神是修身之本、立国之基。

外族入侵之时，敢于提刀杀敌，拒敌于国门之外者，是武术精神；民族危亡之际，敢于挺身而出，救百姓于水火之中者，是武术精神；国家罹难之日，决然投笔从戎，驰骋疆场于百万军中者，是武术精神；正义缺席之时，凭一己之勇气，路见不平出手相助者，是武术精神。由此可知，敢于担当是武术精神的内核。

正所谓，天下兴亡，匹夫有责。从古至今，无数英雄豪杰、侠客义士、杀场斗士，以一身之技艺，肩负起保家卫国、维护公平正义之责任，从不同维度表达着同一种担当。

在中国几千年的优秀文化传承中，国人历来以文治武功为重。

和平年间，文人的道德教化，是担当。战乱年代，武者的奋勇杀敌，也是担当。

回望历史，我们经历过积贫积弱、任人宰割的刻骨之痛。眼观当下，小鲜肉、娘娘腔、娱乐至死的风气依然流传蔓延。预判未来，霸权主义者，犯我中华之心犹在。安而不忘危，存而不忘亡。在历史、现实与未来的演进中，坚守武术精神是个人修身之需要，也是社会发展之需要，更是实现中华民族伟大复兴之需要。

清末民初，孙中山多次提出“强国强种”口号，疾呼“强国必先强种，强种必先强身”。大力倡导“尚武精神”，推动国术发展。

李大钊说过，历史的道路，不全是平坦的，有时走到艰难险阻的境界，这是全靠雄健的精神才能冲过去的。

毛泽东强调，要文明其精神，野蛮其体魄。

这些思想，都是历史伟人站在时代的潮头，总结出的历史性论断。

中华民族要想不让悲剧重演、屈辱重现，就必须时刻保持清醒头脑。武术精神不能丢，尚武之风不可废。不能让曲解的“温、良、恭、俭、让”麻痹国民，尤其是青少年的灵魂；不能让“娱乐致死”的传媒毒害大众意志；不能让所谓的传武大师跳梁小丑式的表演抹黑真正的武术与武术精神。为武术与武术精神固本清源、拨乱反正、守正创新刻不容缓！

（二）胆气，胆向先

武者，胆气为先。古今中外凡习武大成者，除先天的身体条件和后天的刻苦训练之外，之所以能克敌制胜者，无不把胆气放在第一等的位置，既是首要条件又是决定性因素。其作用之大，大至决胜负、定生死。

戚继光《纪效新书·拳经捷要篇》第一势懒扎衣：“懒扎衣出门架子，变下势霎步单鞭，对敌若无胆向先，空自眼明手便。”

这就很好地解释了武者胆与艺的关系，交手胆量为先，技艺上身有胆能长三分艺。

形意拳谱亦云："五行合一体，放胆即成功"。即便身无技艺，坊间还有"愣的怕横的，横的怕硬的，硬的怕不要命的"之戏说。

然则，大敌当前，生死攸关，无理可讲，无路可退，不拼命，何如？

敢打，乱拳打死老师傅，不敢打，纵有千般技法也等于没有。这里不是要否定技法，而是想说明，现在习武之人只练艺不练胆导致胆怯。武者平常讲武德、讲文明、讲谦和、讲善良，无可厚非。但对手欺负到家门了，就必须要放弃那些繁文缛节，要有胆气、霸气、匪气，所谓"朋友来了有美酒，豺狼来了有猎枪"。自古知兵非好战，乃生存之道不可不察也。

战时需要有胆，无须再多言。然而何以生胆？须知需要练时、平时拿出精力和方法，像磨炼技艺一样，勤加习练方成。练时肯流汗，战时敢拼命。练胆本应是习武的题中之义，现在却好像成了不传之秘。在武术传承中很少有人提及，不能不说是一种遗憾，更是一种缺失。习武之人，应该尽快补上这一课。

其实也没有什么神秘的。

最主要是平时习练功课之时，要有临敌的意识和态势。散手实战之时，要提起百般精神，不怕挨打，不要颜面，排除妄想杂念，盯死对方，欲相杀如仇怨焉。谨记双方对决，生存机会在彼此最恐惧的地方。虽为习练应拿出向死而生的勇毅。习练即如历经杀场，经久化育则必成霸气。

而在平时，亦不可懈怠，与对方交往攀谈，亦有临敌之意；时刻察言观色，料彼长短虚实；假想敌若突然进攻，我当如何应对？身虽不动，意却运化。如能这样，胆气自然化育充盈。

尤其需要注意的是，不为所谓的虚名大师所误。人无殊能，不长翅膀绝不能飞，无论对谁都要有看虎如猫的气势。

对于武者来说，无论胆气还是技艺，全在一个“练”字。“既得艺必试敌，切不可以胜负为愧为奇，当思之何以胜之，何以败之，勉而久试，怯敌还是艺浅，善战必定艺精”，信不巫也。胆与艺之辩证关系，明矣！

（三）品性，狠毒奸决快

干什么吆喝什么！武术最原始的含义就是杀人技，即研究杀人的技法。既分高下，也决生死。现代斗场、赛场虽禁杀人、伤人，但亦要见输赢、分高下。所以还是要“抬手不让步，举手不留情”，必不能心慈手软！

温、良、恭、俭、让，是修心之法、处世之德、育人之方，而杀场临敌，制胜求存，为生死攸关之际，非狠、毒、奸、决、快无以为用，亦是品性使然。

“赢是狠毒奸决快，输是忠厚方士心”。通背门里有种说法，练拳练的是两只手，这两只手就是两只老虎，可随时放出来咬人。老虎咬人岂有温、良、恭、俭、让之意之理。

通背拳械名家王勃生老师，将动手品性定义为五字决，释义为狠、毒、奸、决、快。

狠：性刚心硬，不狠不胜，世无必杀技，唯有狠赢人。

毒：下手敢取要害，纵弱亦能胜强。

奸：无武不奸、无奸不武。武者，诡道也。

决：杀场较技，果断勇毅，迟疑等于找死。

快：天下武功唯快不破，快方制机，敌不能备。

武技制胜无非“狠打软、毒欺善、奸打憨、决制疑、快打迟”。

沧州八极拳名家赵维平先生于其《拳艺见微》中，对交手态势亦有相关论述。

交手之态势一：目无所视，身无所阻，心无所虑，手无所忌。目光盯住目标就不要放开，身体随态就努，全身高度协调。心神不乱，坚定信念，不犹豫，出手稳准狠，不计后果，方能达到目的。交手本来就是你死我活，互争生死之地，时机稍纵即逝，千万不可失去（含狠、决、快之意）。

交手之态势二：无征无兆，无形无象，手在哪里就在哪里发。不须露形，毫无预兆，打对方无意识，这样才能造成对方受伤，失去战斗力、抵抗力。在武术当中这也称为打“气口”，把对方打愣了就是这个意思（含毒、奸之意）。

交手之态势三：与敌交手时，头要顶人，步要过人，眼要盯人，肘膝要撞人。所谓头有撞人之势，步有过人之能，眼有袭人之光，肘膝有顶人之功。手脚齐发，周身协调。谚语云“手脚不到，打人不为妙，手脚一齐到，打人如薅草”“左摆右晃，前拉后撞”“形断意不断，意断神犹连”（含狠、奸之意）。

武者的品性，在杀场斗场克敌制胜的各个要素中，具有客观存在性。杀场决生死，斗场决胜负，有诸多因素所决定。偶然性、不确定性因素很多，但也存在着决定性的因素在其中。除了体力、技法、熟练程度之外，不管是先天具备的，还是后天培养的，武者品性当中的狠、毒、奸、决、快，就是克敌制胜的关键因素。有之未必能胜，无之则必败无疑。

做事要抓本质，习武之人悟的是道理，修的是智慧。理通了，勤学苦练必定是高手；理不清，道不明，练到老也是笨汉子。

所谓武者的品性，实际上表达的是武术的本质，即武术的规律性。从实践出发，斗场若要克敌制胜，必须具备以下“五要”。

一要不管不顾。但凡有一点牵挂和顾虑，皆为致败之因。心无挂碍才能无有恐惧，无有恐惧方能有敌千万如入无人之境，为制胜之要。此之谓“狠”。

二要没轻没重。下手敢取要害，以一点制全体，制则必胜。此之谓“毒”。

三要无征无兆。攻其不备，出其不意。让对手从茫然到沮丧、无助到放弃。此之谓“奸”。

四要无形无相。宁可错着打，不可对着等，迟疑等于死，果决方能生。此之谓“决”。

五要猛打猛攻。一上手就要给对手以压迫性打击，不给对手丝毫喘息机会，一直打到对手失去战斗力、抵抗力为止，否则绝不罢手。此之谓“快”。

由此观之，“狠、毒、奸、决、快”应为武者修炼之心学。

然需明了，“温、良、恭、俭、让”，乃君子处世之德，用于杀场定是庸者之行。“狠、毒、奸、决、快”，用于处事乃小人之贼，用于杀场定是智者之为。千万不要会错了意，用错了地方，让人贻笑大方！

（四）眼法，武之心法

练武，练的是手眼身法步，防的是忘恩负义人。前一句讲的是技法、是功夫，后一句讲的是江湖、是人心。但这里面一个“眼”字，却是需要拿出来单讲、单说、单练的。

于常人而言，我们常说“眼是心之苗”，眼睛是心灵的窗户，用眼能传情达意。于武者而言，眼法即心法，眼定即心定，眼乱则心乱。武者一双眼既能含蕴胆色，又能表达气势；既能蕴载智慧，又能实施计谋。关长云蚕眉一拧，凤眼一睁，则立变煞神，取敌首级如探囊取物。

武者临敌，眼睛一瞪则霸气外漏，气势凌人，令人望而生畏，有不战而屈人之效。眼睛看于上，手脚攻于下，则有指上打下之功。临敌时，眼有察敌、瞄准之能。察敌，判远近、明虚实之谓；瞄准，定目标、引手足之谓。眼到手到脚到，把力点精准放到眼睛预设的目标上。无眼引领必不能为。此眼法最需要拿出来单练。

武者练眼古法有之，如夜看香头、随物而动。用眼之法亦有之，如盯住对方双眼，察其动机，或盯住对方双肩，判断其出拳之轨迹等。不一而足，然皆为一家之言。所谓仁者见仁，智者见智，未有定论。唯向恺然在《拳术传薪录》有过相对详细的论述。

“对打，非戏较也。习技不可不习对打，对打首在练眼。眼不经练，非侍看敌人劲路不明，临阵失败，全坏在眼。手足不对练，弊只在进退无标准；出手无把握，果能深功独练，此弊自然无有。

唯眼则非单纯的独练，所能竟功。对打时，眼光易准，因有一定之手法，如何攻，如何守，不能移易。临敌与对打之手法，完全不同。对打有接手且出手多留顿不收。临敌则接手留手俱为败着。对打之意，专在练眼，手足不过能借此引活劲路而已。”

从这段论述可以得出一个结论，练眼必须通过两人对打的方式来训练。

笔者习练通背拳对打之时，体悟是盯住双眼、关照肩膝，本体感觉、随敌而化，瞄准目标、就近攻打。

此亦是一家之言，仅供有志于研习者参考。以上论述只为说明眼法于武术之重要。眼光之能在于外接于敌、内通乎心、动于躯体、表于拳械，习武者莫要轻视。

（五）兵武，攻守之道

无论兵法还是武术，攻与守都是最根本、最主要的矛盾主体。在古今中外的战争实践中，对攻守矛盾早已有过清晰和深刻的诠释。其用于武术也同样具有十分重要的借鉴意义。

从逻辑上讲，攻为主动，守为被动。故兵家始终坚定地强调进攻的重要性，认为“攻击乃制胜之条件，虽攻势可以延迟，然没有攻势就没有胜利。”而防守是一种被动行为，常常使己方处于非常不利之位。因为防守很难预测对方的战略攻势，很难辨识对方进攻的真伪，很难及时拿出有效应对策略，一味防守，终会漏出破绽，故久守必败。

国外兵家曾明言，防御是一种得不偿失的行为。他们认为防御是一种最大精神耗费，在防御中胜利，也只能得到最小的精神滋补。

实际上，在中国古代的武学典籍中早有这样的观点。《少林拳谱杂俎·交手要诀》提到，“凡与人交手，不恃其有遮拦之巧，而恃其有攻取之方。”这里讲的也是同样的道理。

由此可知，兵法与武术同样都是讲进攻的艺术。

然则，进攻之利何在？

古代兵家格言讲得好：攻者常能得先声夺人、先发制人之利。

首先，从精神层面来看，进攻讲求战胜对方心理，使对方从心理上畏惧屈服，以便在攻打之时收到事半功倍之效。

其次，可进可退，自由便利。战争之要诀，即采取攻击战略，因为此战略最能保持行动之自由。

再次，可以获得先机。进攻的一方率先出手，对方通常需要一定时间来做出反应，这个时间差，就是制胜之机。

最后，也是最重要的，进攻可以获得对抗中的主动权。“进止战守繇于我，斯有胜道”，“繇我则我制敌；繇敌则为敌制”。意思是要调动敌人，使他不想做也不得不做，这样才是真正掌握了战场（斗场）的主动权。

在战场或斗场上始终强调你打你的，我打我的。选择“我”之时间、地点和方式交战，不选择“你”期待的时间、地点和方式交锋。即使身处困境，四面受敌，也从不受制于人，从来不是敌人怎么打，我就怎么打；敌人怎么攻，我就怎么防。而是坚持以我为主，出敌不意，打乱敌之战法，创造我之节奏，从而战胜敌人。

由此可知，以我为主、主动进攻，是掌握主动权而制胜之要。被动防守、受制于人，是失去主动权而致败之主因。此事关系重大，兵家、武者不可不察不知！

（六）武者，简约为用

武者，无论何种格斗场景，必须以简约为用，也唯以简约能用。搏击最忌花法，即华而不实之法。任何复杂都可以让你失去战机，甚至丢掉性命，更不要说那些所谓讲求美观、炫目花哨、毫无实用价值的技巧。实战中那些技巧实际上是自取其辱、自送性命的方法，千万要分清楚，懂得取舍。

世界上公认的十大功夫，有马伽术、空手道、泰拳、卞利、硬气功、合气道、跆拳道、少林武术、咏春拳和柔术。其中大家公认战斗力最强、最能实战的是马伽术，这与马伽术高度强调简捷性有重要关系。

马伽术认为：真正搏杀到白热化阶段时，动作简练实用很关键，当击裆就足够解决敌人时，就没有必要冒险再以脚踢头，用耗时 1 秒钟的动作就可以达到同样效果时，就没必要花 10 秒钟去做一套复杂的动作。在生死搏杀中，每名战士都是以躯体、信念乃至生命为赌注的，其残酷性要求队员放弃一切华而不实的技术，直接打击敌人。

平常训练，教练要讲究怎么战就怎么练，不绕弯路。教会每个人学会用最短的时间、最快的速度、最强的力度、最实用的方法擒获对手，不存丝毫侥幸，出手迅速坚决，一招制敌。同时也要不断总结实战检验过的招数，用易学易用的技术，练就巨大杀伤力的无法之法。其中短促与简捷是贯穿始终的两个重要原则。正因为如此，马伽术不讲究招势套路，只强调简单实用，没有规则限制，更没有漂亮的套路，所以它不是竞技比赛正式项目，却是特种兵的必修课。

这也给我们以启示，真正的武术就是搏杀的技术，传统武术早已讲明，只不过现代推崇套路与擂台武术，一定程度上模糊了对武术本质的认知。

格斗就是要用离对手最近的肢体武器，以最快的出击，最短的距离，最简捷的动作，最直接的打击方式猛攻对方，要忘掉一切技巧和优雅，头脑里只有一个念头，就是拼命猛攻对手，舍此无他。

二、理法层面

（一）主动性与主导权

世间一切所谓有功业的事情，都是以人类（个体和组织）的主动性发挥与主导权建立为前提。主动性和主导权可以无中生有开创事业，可以制定规则确定主客，可以以我为主形成节奏，可以最终决定事物的性质、走向和结果。

从理法的层面，武术与兵法的道理是相通的。

兵法是众人的武术，武术是单人的兵法。兵法与武术作为人类组织和个人对抗的最高、最原始、最本质的表现形式，实质上是对抗双方于对抗之中争夺主动性和主导权的行为与结果。

在战争中要力争主动，避免被动的原则，历来为军事家所重视。早在春秋时代，大军事家孙武就指出：“善战者，致人而不致于人。”就是说，善于作战的人，能调动敌人而不为敌人所调动。战国时期的隐士王诩则提出：“制人者，握权也；见制于人者，制命也。”就是说，能控制敌人的，就可以掌握必胜之权，而为敌人所控制的，则会遭受致命的打击。西汉时期的淮南王刘安也提出：“凌人者胜，待人者败，为人杓者死。”意思是说，主动进攻敌人就容易胜利，消极等待敌人则会失败，受人打击而完全陷于被动则将被消灭。

谁掌握了主动性和主导权，谁就拥有了生存与胜利；谁失去了主动性和主导权，谁就注定了失败甚至死亡。然而主动性和主导权，不是凭空想象出来的，其具有客观实在性，是物质的、可控的，可以认识与掌握的。讲得直白一点，就是双方实力对比出来的、智力比拼出来的。

作为兵法的主动权与主导权，这里不做过多讲解。古今军事理论里已经讲得相当多，相当明白了，而武术理论中却鲜有阐发。就武术而言，主动性与主导权地位与作用无须赘述。关键问题是如何在实战中获取主动性和主导权？或者反过来说，哪些办法可以促进和达成主动性与主导权？

这里总结为四个原则和五个物质基础。

四个原则是：

第一，首先要明确的是主动性和主导权来源于实战。实战包括对打与单操。打斗比武，机会稍纵即逝，瞬间决胜负。练武练的是警觉性和反应速度，练的是拳腿的速度、力度和硬度。而这些必须通过对打来习得和验证。真本事打出来，能打才是硬道理。克敌制胜的主动性与主导权是在上百次的胜败输赢中不断积累出来的，这来不得半点虚假。没有捷径可走，没有窍门可钻，这里有侥幸心理会害死人。平时多流汗、战时少流血讲得就是这个道理。

第二，进攻、进攻还是进攻。有把握的进攻是实现主动性和主导权的最好法门。对此，兵家早有言论，“战争的胜利唯有在攻击中才能完成”。武者亦认为“攻击常能得先声夺人、先发制人之利”。攻击是实现主动性和主导权的最好方法。无论功夫多深、实力多强，久守者必败。我们常讲，进攻是最好的防守。从以上意义说，没有进攻就没有武术。从决定意义上讲，武术就是讲求进攻的艺术。

第三，要尽可能多地给对方制造错觉与不意。实战中，隐蔽接敌，突然进攻；指上打下，声东击西；连续出击，换势不及；喝敌魂魄，神取惊打；自漏破绽，败中取胜等等都是常用的方法，就是要打得敌人无反应、无意识，打得敌人疲于应付和心理沮丧崩溃，才算达到了目的。

第四，要以我为主，形成自己的节奏。除一招制敌外，连续和持久的打斗中，能按照自己的节奏并打乱对方的节奏，是制胜的主要条件、也是形成主动性和主导权的前提和基础。只有以我为主，按自己的节奏打，才会胜算在握。一般来说，失去节奏之时也就是失败之时。

五个物质基础是：

第一，时间上的先手。先手制机、先下手为强。

第二，距离上的先至。最短的进攻线路，可达到后发先至的效果。

第三，速度上的快捷。天下武功唯快不变，身法上转侧快，手法上连接快，步法上跟进快，有拳快不如半步跟之说。

第四，对接中的硬度。天下武功唯硬不破。然硬在快前，含老辣之意，硬是有专门的训练方法。

第五，拳腿的力度。在实战中重击是快速解决战斗的有效手段。拳腿打击的穿透力和整体发力（整劲）能力，是武者梦寐以求的功夫。

以上为实战中夺取主动性和主导权至关重要的物质条件，也是制胜的基础。平时训练中应该不断强化。

（二）避实击虚

唐顺之《武编》开篇讲："拳有势者，所以为变化也。横邪（斜）侧面，起立走伏，皆有墙户，可以守，可以攻，故谓之势。拳有定势，而用时则无定势。然当其用也，变无定势，而实不失势，故谓之把势。作势之时，有虚有实，所谓惊法者虚，所谓取法者实也。似惊而实取，似取而实惊，虚实之用，妙存乎（于）人。故拳家不可执泥里外圈长短打之说，要须完备透晓，乃为作手技。欲精、欲多用、欲熟、欲駛、欲狠。两精则多者胜；两多则熟者胜；两熟则�与狠者胜。数者备矣，乃可较敌。”

避实击虚是武术与兵法必须坚守的共同原则，运用好了才能形成以弱胜强的效果。

《孙子兵法》云，“夫兵形象水，水之形避高而趋下；兵之形，避实而击虚。故兵无常势，水无常形，能因敌变化而取胜者，谓之神。”根据虚实变化，随形就势，根据对手的变化灵活调整身法步法，尽最大可能暴露敌人短处与弱点，也尽可能隐藏自己的实力与优势，隐秘接敌、迅猛出击、势险节短、一击必杀，以达出其不意之效果。

然而何以为虚？何以为实？

从身体方面说，如果不是左撇子的话右为实左为虚；能动性强的四肢为实，能动性弱的躯干为虚；肌肉厚、不怕打的地方为实，神经多、怕打的地方为虚；身前能照顾到的为实，身后照顾不到的为虚。从攻防的角度讲，有防备为实，没有防备为虚；进攻中重拳重腿为实，轻拳轻腿为虚；能快速回防的为实，换势不及的为虚。

明虚实之后，以何种手段或方法达到以实击虚之目的，则显得至关重要。这里也是有规可循、有技可用的。

古拳经拳法里有一些方法值得借鉴。

一是通过降低重心，使敌人空处暴露。“人练打之时，肘胯肩是要紧关头，譬如一动手，两肩跌下，则身法自然低，随身转打是恰对空处，所谓连打带靠者也。”“至于迅猛处，总是未入身之时，须要缩在一球，既入身后，一身俱可着力鞭开。”

二是通过引手，制造敌人的空处。“又练打之时，前手如探子，必要理清。就是敌人一动手时，精神必要为之掀开，令彼自露其空处，然后一转身，便处处是空中投石，所谓‘乘虚而入好用机’是也。”此亦是声东击西之法。所谓攻其必救，打其暴露。

三是通过步法，创造避实击虚的机会。避开敌人之生门（重拳、重腿打击范围），进入敌之死门（后背、侧面不易防守之地）。故打斗较技“孰为生门，孰为死门，孰为正招，孰为哄招，了然胸中。至当即决胜之日，见在人先，随发随应，迎刃而解矣。故最吃紧处，只是不听人哄”。

四是麻痹敌人，创造出其不意的机会。示弱令敌麻痹，引手使其错判，诈败令其入套，隐匿好我之长处与重击，使其进入我之预设，迅猛出击，一击而中。

以上四法习武者不可不察焉。

（三）唯快唯硬

天下武功唯快不破、唯硬不破。

快者，手、眼、身、步、心；硬者，筋、骨、气、力、胆。

亦有拳经云：百打百破，一硬不破，一快不破。

硬者，非身手硬者，劲硬也。快者，非进退快者，转侧快也。进退固不能不快，而胜负之数，不在进退，在转侧。

快到对方崩溃，硬到对方胆寒。快到无从防守，硬到无法对抗。

俗云：拳打不知，是迅雷不及掩耳之势。又云：疾上又加疾，打了还嫌迟。这都在强调一个“快”字。

又有：不招不架，只是一下，范了招架，十下八下。比如讲“连打连戳之棍法”，连续进攻固然是一种技巧，但说到底还是一个“快”字，因此，任何就机连发如不以超常速度为前提，便失去了实用价值。

兵之情主速，武之情主快。发招贵神速。斗场上谁掌握速度谁就占尽了先机，谁就具备了胜利的条件。

以色列特种部队格斗术中有一种“5 秒钟”理论，即是格斗要在 5 秒内结束战斗。他们认为，进行格斗训练的目的就是学会如何在最短时间内，以最快速度、最凶狠力度、最实用方法，擒获对手，使其失去反抗能力。

斗场是杀场，生死攸关，不能有丝毫侥幸。必须出手迅速，一招制敌。

“快”被古今中外武者推崇，早已不足为奇，然而“硬”却往往被人忽视。在中国传统武术里却强调“硬”在“快”先，这是何道理？经过传统武术实战的人都知道，两人一碰胳膊，通过胳臂的硬度就能感知到对手功夫的深浅。

所谓行家一出手，便知有没有。功夫高者手臂碰不得，如绵裹铁。更重要的是能瞬间发力，惊炸冷脆，令人防不胜防。出手老辣者，皆精于此，为上乘功夫。一出手，一硬一快相较，胜负立判矣！

然何以能快？何以能硬？皆出于瞬间爆发力。发力前松之又松，懈之又懈，接触瞬间（见肉分枪、粘衣发力），紧之又紧、疾上加疾。则能做到又快又硬，惊炸自出。余之体悟是，有三个月以上的子午桩法之功，可出此力。

此有歌诀云：

懈又懈来松又松，吾气未动似病翁。

忽然一声春雷动，千年万马把阵冲。

又补一诀曰：

遇敌火烧身，出手燃火炮。

步起惊雷动，脚踢鬼神惊。

依照此原则训练，常人亦能做到出手快如闪电、硬为钢条，无往而不胜。没有什么玄虚神秘之处。

（四）不意与诡道

打斗打的是彼此的注意力，而人的注意力表现在眼神。

你能控制对方的眼神，调动对方的眼神，你就抓住了制胜的关键。

我们常说，兵者，诡道也。实际上，武者，亦诡道也。

攻其不备，出其不意，兵家之胜不可先传也。兵家之胜没有预先设定的，皆随形就势临机反应，然而却不是没有原则可循。

武术讲指上打下是根本，声东击西是灵魂。对方之不意是我之人为创造出来的，亦是对方注意力及眼神被我控制与调动的结果。

猫的反应，应该是相当敏捷的。然而逗猫之时，先打打头，再打打尾，如此反复。即便是猫这样灵敏的动物，也会出现首尾难顾的情况，尤其是会眯起眼睛，眼神涣散。

下面再梳理几种创造不意的方法，仅供习练者参考：

1. 偷打。打对方没有防范，无征无兆。如向对方低头示好，在对方疏忽麻痹时，突然翻脸发难，先下手为强。如在对手疲惫之时，突然出手，在要害处给予致命一击，令对手防不胜防。能耐再大的武术家，也不能时刻警惕；再高的功夫，疏于防范就等于没有功夫。

2. 神打。我突然变脸，大喝一声，震慑对手，以气势袭人。再者突然一击打愣对方，在对方愣神之际，一招制敌。

3. 骗打。双方交手，眼神关注之处为实，关注不到处为虚。故以指上打下、声东击西之法，把对方注意力调动到一处，打击另一处，试之无不中的。

4. 连手。两拳两腿，上中下左右。多点出击，连续打击，密集进攻，让对方应接不暇、手忙脚乱、疲于应付、慌乱不堪。所谓“招打换势不及”。

5. 快打。平常练出超常速度，快到对手无法防范，使其灰心丧气，信心全无，只得就范服输。

6. 进身。突然进身，逼近对手，挤着对手打，给对手以压迫感，并破坏对方的重心，制造对手后仰之势，而后乘势发力，打、摔、放均可为。

7. 诈败。反败为胜之法。转身败逃，诱敌进招，敌进我则突然转身，用转身鞭拳，或暗腿撩阴，出其不意给予重击。

8. 重或硬。平时加强硬度和重击的训练，交手之时故意与对手四肢硬碰硬，让对方感觉到威力和疼痛，造成心理上的恐惧，直接击溃对手的信心。

需要说明的是，实战中出其不意并不要求对手完全无察觉，只要求对手不能做出有效的反应就行。对方眼神（注意力）跟不上的那一瞬间，就是空档。抓住这一瞬间，就抓住了战机。为此，隐蔽、突然、迅猛则成为必要原则。

所谓隐蔽，即隐蔽接敌，兵家常以此为用。尚秘，兵之第一要义，武者亦然。动手前隐蔽意图是制胜法宝。

所谓突然，即突然出击，决绝果断，不存在丝毫思量与拖泥带水。真正动起手来宁可错着乱打，不可对着迟疑。连手之快，后手能补前手之失。

所谓迅猛，即猛打、猛冲、猛追。“是故善战者，其势险、其节短。”迅猛必势险、必节短。意思是迅猛出击本身就是势险节短，如疾水漂石、鸷鸟毁折，亦如狸猫捕鼠、雄狮猎鹿。

亦需明了，诚信是处世之道，欺骗是兵武之法。诚信用于兵武为愚者之行，欺骗侵于处世则非仁者之为。欺骗是对抗的最本质特征。实则虚之，虚则实之。实则实之，反示其虚，虚则虚之，反示其实，虚实之用如循环无端，反复无尽。指上打下，声东击西，惊法者虚，取法者实，惊取之变，以至无穷，人不能知，故谓之神！兵武诡道之术，信不巫也！

（五）集中兵力

古今中外，历代军事家、政治家都强调集中兵力的重要性，认为只要兵力集中就能取胜，分散兵力则是大忌。

普鲁士军事理论家克劳塞维茨指出：数量上的优势不论在战术上还是在战略上都是最普遍的制胜因素。并阐明：战略上最重要而又最简单的准则是集中兵力，我们要严格遵守这一准则，并把它看作是一种可靠的行动指南。

恩格斯则指出：战略的奥妙就在于集中兵力。并评价说："拿破仑的秘诀在于集中，而其继承者的秘诀却在于分散。"

毛泽东则把集中优势兵力，各个歼灭敌人，作为中国革命战争的基本战法和基本作战指导原则之一，并对集中兵力原则的具体运用提出了许多独到的见解。

武术格斗的实质是双方利用自己的肢体武器或身外武器打击对方身体的薄弱部位，以求制服和杀伤对方。武术中的肢体武器有头、肩、手、肘、胯、膝、足、臀。如何综合使用这些武器，增加攻击的整体性、协调性以及打击的强度和效果，实际上也是集中兵力的问题。

粗略划分，武术的集中兵力主要表现在三个方面。

一是调动全身之力于一点。所谓以整劲重击对方，求一招制敌、一击必杀，务以击倒为要。

二是调动一切可能的打击手段。充分调动所有肢体武器，不断打击对手，多点进攻，使对方顾此失彼，直至被击败。

三是对一个部位（或薄弱或受伤）连续施以重击。如连续扫踢对方的支撑腿，直至受伤无法站立。

与之对应的所谓分散兵力则是兵家武者之忌，与以上集中兵力对应的有三种情形，应力戒之。

一是局部力打人。攻击没有力度，给对手形不成威胁与伤害，属无效进攻。

二是手足不能并用。协调性差，形不成连续击打态势，四肢肢体武器有忙有闲，不能协同出击。

三是缺乏重击。对有效部位缺乏连续的、不失时机的重击，摧毁不了敌人的防御。

分散兵力会使自己丧失先机和主动权，给了对方打防守反击后发制人的机会，对自己可能就是致败之因。

因此，能否集中兵力对武术格斗来说，是一个原则性问题，应该给予足够重视。

（六）得机得势

兵法云："故善战者求之于势，不责于人，故能择人而任势。然于武者对决何以为机，何以为势，却不可不详察明了。"

一种说法，机是时机，势是气势，有一定道理，但还是过于概念化，不可实际运用。武术打斗非学术研讨，空疏即茫然。若要实用则必须具体。于武术而言得机得势者，即先手制机，冲顶得势。

那何谓先手制机？

先手者，先攻之手，抢先手之谓。现代单兵枪械对决中有一个重要原则，称先开火者为王。打的准不准是一方面，谁比对手先扣动扳机谁就能够抢夺到生存的机会。这是生存法则，武术亦然。无先手无以制机。只有先手才能逼对方防守，才能夺取主动权，才能形成以我为主的节奏，才能致人而不致于人。

如果对手先出手，也要你打你的我打我的。所谓“打打”，即打攻之法，避其实攻其虚，逼彼以实补虚，无暇攻击，我则抢回先手。

斗场即杀场，片刻分胜负。先攻即先机，主动即在我。若以守对峙，久守则处处被动，安有不败之理。

“你打你的，我打我的，打得赢就打，打不赢就走。”这就是在争夺先手先机，若夺不过来怎么办？走，重新再找，找到再打。若依此法即能为常胜将军。

何谓冲顶得势？

形意拳有这样的歌诀：“脚踏中门夺敌位，就是神手也难敌。”如对打之时，务要奋力形成向前冲顶之势。若以我头抵顶敌咽喉处，手或手臂打撞彼胸膛血道处，前脚速进敌身，不拘在脚之内外，夺敌立足之地，后脚大趾着力蹬地，大腿、背脊、头项形成一体。如顶门之杠，顶撞彼身，逞横冲直撞之能。逼敌后仰，使其站立不稳，失去重心，自顾不暇，我则能乘势出招，谓之得机得势。故谓所当乘者势也，不可失者时也。至于强敌先手，我闪转腾挪，以避其强。这无非是此时此地，先手已失，别寻下一个我之先手的无奈之举罢了。

由此方知，太极拳歌诀里所谓虚领顶劲，后学理解注释多有误处。也可理解为，以顶抵之力逼敌虚处，以破敌重心，一片射入，通身之力用在一时，对方焉有不仆不跌之理。

（七）料敌之变

习武之人要掌握瞬间判强弱、断虚实的本领。实力相较，如双方强者胜、弱者败，打得赢就打，打不赢就走，有把握就果断出手，没把握就赶紧走，离开是非之地，万不可打没把握之仗。若情况不明强弱难断，犹豫观望等于找死。这里没有怕与不怕的问题，所以一切用实力说话，万不可用面子限制自己的行为。斗场最忌讳的就是要面子，比武较技决不能意气用事，务必要头脑冷静，行为果断坚决，切记，切记！

因此，斗场中一定要想尽办法做到知己知彼，但如何做到知己知彼，还是要讲究一些方法的。

拳谚有云：“斗场料敌虚实强弱，如中医治病之望、闻、问、切。望闻而知其表，问切而知其里，表里虚实既知，对症下药病不难除。”此比喻极为贴切。

望，观也，观其形而料其刚柔疾迟。

闻，嗅也，嗅其象而知其心性平急。

问，激也，激其动而知其擅技长短。

切，搭触也，搭手触身而知其力技之能。

若此，定能知己知彼，应对虚实强弱，以扬己长而击其短，用己之实而攻彼之虚。纵敌强劲，也必会有克敌制胜之法。

在这些方法中，眼观是第一位的。通过观察对手的体形技能来判断彼之长短，虽不至于百分百的准确，亦可观个大略。并以此来确定战术，以收扬长避短、以实打虚之功。

通臂拳名家王勃生老师有一段论述甚为精当，习者可参之：大以体粗者，肢体偏短，步多不捷，有本力，静则实，动则虚。体长者，肢体五细，力偏柔，中空下虚。瘦小者，虽动作灵便，技实而力虚不足为虑。惟身高体形匀称者为劲敌不可轻心。

短粗力壮者，多持力大硬进，以拳为主打近战缠斗。遇此应游击以对，宜快打。用拳长势远开，闪惊巧取，低腿可用高腿慎用，切不可中盘施之，着之无用，且易被抱摔。

肢体瘦长者，多持臂腿之长，远开遥击。长势虽险，对之应手足并用而进。近身连密而搏，上惊下取为善。以短制长在节短势险，切不可游走，对峙于彼拳脚所及之锋。

擅用拳者下虚，可以腿攻腿，彼救护必分神，拳不及攻而彼上虚。擅腿者近虚，近则彼腿难起，且脚起半虚，手不着体。又可伺机破腿，以脚截低腿以砍截中高腿，顺势拿之涮之。擅摔者打虚，拳可远开惊冷。疾身贴滑滚，飞拳上脸断喉，脚打颤挫，踢膝兼撩阴。彼搭手缠抱，不可入套，坐腰拧身肱扶肋，膝肘双盘破金刚，擅拿者不足为虑，拳谚：巧拿不如拙打，我法非拙，岂可与论乎！

又，应对力耐者，须寻机速决不可缠斗，集勇力施杀招以搏。彼壮力雄，不可硬碰，游斗滑打，耗其力挫其锐以逸待劳。

总之，料敌于先知，知己知彼，不为彼激，不为彼牵，因势而变化，以己为中心，处处主动，乱其心智，掣其手脚，散其意志，一露败象，胜之必然。

（八）预先格斗

马伽术里有一种预先格斗的理念。要求武者时刻保持有危险的警觉，随时预判对手的攻击，先一步采取行动，并养成习惯形成条件反射。

武术斗场上的失误和失败，少数在于有没有功夫，有没有实力，多数在于有没有预判，有没有防备。实践证明，有预判没功夫，提前逃脱也吃不了大亏。有功夫没有防范，再厉害的功夫也等于没有。可见，实战中警觉与预判是何等的重要，而预先格斗理论正是基于警觉与预判的情境下所产生的战术与战略选择。

马伽术把预先格斗分为两方面内容，一是先发制人，二是预先截击。

马伽术大师耶尼洛夫认为，在对方攻击之前先发制人，并乘胜追击直至击溃对方，以便允许你安全脱离现场。如果你等对方攻击后再进行反击，它常常会使你防不胜防从而遭受伤害。一旦你决定先下手为强，就必须迅速将其制服，使他再无能力来伤害你。事实上你已经竭尽全力以图化解危机，危机的不可逆转性决定了先下手为强是自卫反击的首选战略。这与我们通臂拳门里反复强调的“一狠二快先下手”的原则异曲同工，乃是武术格斗制胜的真谛。

而预先截击，在马伽术里解释为，于对手企图发招或者发招进攻前的瞬间，予以凌厉的攻击。正如传统武术常讲的彼不动、我不动，彼微动、我先动。

更像《少林拳谱杂俎》讲的截法。云：截法者，截手、截身、截言、截面、截心也。

截手者，彼欲动而我先截之也。

截身者，彼身未动，而我先截之也。

截言者，言露其意，而即截之也。

截面者，彼面露其色，而即截之也。

截心者，彼眉喜面笑，言甘貌恭，而我察其有心，迎机以截之也。

解曰：笑不动唇，提防有意人是也。

李小龙所谓截拳道，应以此理法为基础而创，并取其意而名，所谓截，其实质还是先人一步。

无论马伽术还是中国传统武术，无论是预先截击，还是先发制人，总以一个“先”字为要，而要想达动作上之“先”，必须以意识之“预”为前提，为先决条件。只有意识上的警觉与预判，才能实现战术上的先手，战略上的先机。

（九）不打无把握之仗

在现实生活中，各种各样的格斗场景中，生命安全是第一位的，我们绝不做无谓的牺牲，要迅速判断形势，打得过就速战速决，不给对方反应或喘息的机会。打不过就迅速撤出战场，越远越好，不给对方追击或纠缠的时间。

《何博士备论·李陵论》中说：“是以古之善战者，无幸胜而有常功。计必胜而后战，是胜不可以幸得也；度有功而后动，是功可以常期也。”这就告诉我们，获胜没有侥幸之理，必须计划好了，判断正确了，然后去打，才可以取得意料之中的胜利。

打有准备的仗，不打无准备的仗。遇事冷静定，处事坚决快，出手准稳狠。

斗场中，把现场情形放到最坏的基点上考虑，不存侥幸，不盲目自大。越会武功，越要谨慎行事处事，万不得已不要冒险，情况不明不能动手。遇到高手，仅凭一时冲动是不够的。武术强调胆向前，是指出手时无所顾忌，而出手前判断形势则必须小心谨慎。这是辩证关系，正如战略上藐视敌人，战术上重视敌人一样。

如果对手有武器，自己未经过长期专业训练，千万不要轻易尝试空手夺白刃之类的事情，那在有些时候是白送性命，侥幸不得。

打有把握之仗，应基于以下三个判断。

一是通过正确的形势判断，知彼知己，了解或大致了解现场形势，找到对方的弱点，从而建立起比较优势。

二是通过势位的调整，找到进攻的路径与时机，明确打法战术，并造成有利于我、不利于彼的客观形势。

三是通过言语或态度，给对方以弱势或无备的假象，让对方放松警惕，放弃警戒，造成敌无意我有心、敌不虞我有备的主观态势。

即便是这样，也要谨慎谨慎再谨慎！

（十）兵武相通

从理法的层面，武术与兵法的道理是相通的。

兵法是众人的武术，武术是单人的兵法。

分而论之，兵法在于保存自己消灭敌人，又是双方争取主动权与主导权在智力与实力上的比拼，武术较技从原始意义上何尝不是如此。武术里讲致人而不致于人是行者比拼的关要，兵法讲出其不意攻其不备，兵贵神速，兵者诡道也。拳法讲招打不知，招打换势不及，快打慢奸打憨也是同理同义。兵法讲兵形若水，避实而击虚，拳法有拳无定势，虚惊而实取，指上打下，声东击西，不一而足。

合而论之，武术与兵法出于一辙，一以贯之。武术是最高级、最原始、最本质的单人对抗形式。兵法则是组织对抗的最高、最原始、最本质的形式。所以避实击虚、以强打弱、以众击寡、出其不意、声东击西、机动灵活、以我为主、以攻为守、先手制机等原则、方法，则成为武术与兵法的通则。

然则武术与兵法为什么有如此多的相似性？从哲学的角度，分析其本质属性或特征可以窥见其理论依据。

1. 武术与兵法都是对抗性矛盾，都是在对立统一中寻找比较优势。

2. 武术与兵法都以实力作为物质基础，实力就是技术。技术是一切战术的物质基础，没有过硬的技术，战术只能是空中楼阁。

3. 武术与兵法都强调计谋，强调主观能动性，强调意识对物质的反作用，强调出其不意、攻其不备。

4. 武术与兵法都以保存自己、消灭（控制）对方（敌人）为目的。

5. 武术与兵法都以寻找对方弱点，建立比较优势，避实击虚为主要方法。

6. 武术与兵法都以知彼知己为前提。

7. 武术与兵法都以快速制敌为原则。兵之情主速，武之情亦主速。

三、势法层面

（一）势位，占优的诀窍

善战者，俗称会打的，往对面一站，就基本占据了优势。有这么神奇吗？还真就有这么神奇。高手一站，胜负立判。这个站位真的有如此作用吗？还真有如此作用。所谓旗鼓相当，站好了不慌。

看似神奇，道理却很简单。这还要从人体自身的先天之性上找。就左右而言，左撇子除外，一般的人都是右手右腿相比左手左腿灵活且有力量。

若我站位形成相对灵活且有力量之时，那么对相对不灵活且无力量则比较优势就会显现。形成《太极拳经》中所说的我顺人背的态势。

这就是武术所说的势位，即我与敌打斗之时的身势方位。

通过势位抢占先机，创造优势，在斗场上形成拳腿相搏、以实对虚的局面，就是势位制机的原理。此亦正合避实击虚的原则。

这里虽是一层窗户纸，但不捅不破。不明此道理，在较技中会很吃亏。再深入分析，还有另外一种道理来解读。

人体按照顺时针方向，从右后—后—左后—左—左前—前—右前—右的顺序，对应奇门人盘的开门—休门—生门—伤门—杜门—景门—死门—惊门。古代破阵法时，讲求生门进则生、死门进则死。这里请注意的是，生门和死门是根据对手来说的，对我来说生门是左后肩最难防范，左本来为虚，对手若从此门打入，对手能生能胜，我则会败会亡。死门是右前，此处正是右手拿起防御的位置，此处最实最重，若对手从此打入，则会败会亡，我则能胜能生。势位之法，源于先天之本能，不明此理，不用此法。逆道而施，焉有能胜之理。两人相较死门对死门，胜负相当；死门对生门，无不胜之理；死门对其他门优势各异。

王勃生老师说："习练势位主次颠倒，以实对虚用实，以虚对实用实，则我两实对彼一实一虚。此法我顺彼背，彼处处为我所牵制，招招慢我半拍。每遇俗学，彼此一站势位即得先机，攻守转势位变换无不得心应手。"

（二）拍位，节奏的威力

什么是拍位？

拍位就是在既有势位的情况下，寻找进攻的最佳时机和进攻方式。

兵法云：战机未至，不可以先；战术已至，不可以后。

李小龙认为：出拳的时间性恰当就是重击的秘密。拍位的核心是时机，重击的实质是在恰当的时间形成有杀伤力的打击。在一次成功的攻击中，时机的选择是最重要的。倘若时机不当，即使招式再完美，速度再快也是枉然。

从心理学的观点来看，使对手吃惊的一刹那，以及从身体的观点来看，对手感到无助的瞬间，均是适当的攻击时机。这是拍子的正确概念，即选择对手在心理或身体暴露弱点的某一瞬间。

这些都是一般意义上的观点，而对高手而言无处不可打，无时不可打。因为高手具备了控制节奏的能力，或称具备了打击对手节奏的能力。

打击的时机粗略地分，可分为两类：

一为打静：打（对手）无备、打停顿、打愣神；

二为打动：打（对手）出招、打换势、打撤退。

一般认为静好打，诚然打固定桩一样，毫无攻防意识的人最好打。但打动起来的人，也不是什么难事。这里面有一个先天的生理规律问题，那就是人动起来都有惯性，对做出的动作会不自觉地继续下去。所谓变势难，也就是拳诀常说的招打换势不及。掌握了这个惯性，就掌握了攻击节奏的秘密。

古拳师推崇彼不动我不动，彼微动我先动，要的就是这个动作惯性。这就是所谓“打打之法”，专打敌人的拍位之法，应属于高级的东西。

诚如李小龙所言：破坏节奏要依赖一个事实，即对手仍会继续做被突然打断的动作。从某种意义上讲，尤其表现在现代搏击擂台中势均力敌的情况下，按照自己熟悉的节奏，打乱对方熟悉的节奏，会成为制胜的关键。

为此，通过打乱对方的节奏来寻求时间上和空间上的一击必杀的空隙与点位，这才是拍位的应有之意。

然而如何熟练掌握和运用拍位，却需要付出艰苦训练，反复体认，不断实战验证，才能真正获得。不夸张地讲，能用拍位者必是高手。

在此有必要从训练与实战的角度，再详细地说一下拍位的一般性规律。

从训练的角度来讲，要专门训练拍位意识。按照正常的出拳、出腿速度，拳、腿从开始到打到位，是一拍一点位。同样的时间内，加快出拳速度，左右拳两个半拍即两个点位。若正常出拳速度则为两拍两点位。若一个正常速度，一个加快速度，则为一拍半两点位。若格打合一，如形意之炮拳，则一拍两点位。若消打合一，如通背拳抱拦，则一拍半两位，或两半拍两位。不一而足，随意拆解。

若将这些形态连贯起来，就会形成不同节奏的打法组合，再加上不同的身法势位，不同的打击点位，任意组合则变化无穷，循环无端。轻重缓急，长短相间，上下交换，左右互出。正所谓：我知敌敌不知我，敌必眼花缭乱，防不胜防。

从实战的角度来讲，单招宜重急，见机全力必杀；复势组合，虚可实，实可虚，轻重不拘随势而为；二势组合，节拍宜紧凑，轻重有度；三势组合，节拍在二势后略顿以蓄第三势之力，或可一势后略空一拍，接连二、三势出击。拳脚组合之拍位，宜人而定，不一而足。由防转攻之处有拍位，由攻转防处亦有拍位，摔放之法可以此类推。

总之，斗门对峙疏松轻缓，接手触身连密重急。攻入则见肉分枪，粘衣发力，疾上又加疾，打上还嫌迟。其要还在平日攻习，单操、连手、打桩，应为假想实操应敌之势，强化意识训练，心中有节拍，手中出节拍，轻重缓急，久而形成自然节奏，用时自可信手而为。

（三）盘口，进攻的路径

盘口，是古代拳经里的一种说法。用现代话说，就是进攻步法的方向和路线。古有左龙、右虎、中间蛇之说。

正如《渔阳剑诀》所云：剑术三门左中右，右虎中蛇左曰龙，手前身后现刀势，侧身左进龙门亟。身前手后隐刀势，侧身右进虎门易……龙翻虎跃皆蛇行，直进当胸不可阻。

然更细究之，现刀势走龙门，先进左势，后进右足顺起拗进，劈点砍刺尤为便利，因之伏机在上（前）用之在下；隐刀势走虎门，先进右足，左足随闪，三角步，提撩为便利，因之伏机在左后（下）用之在前（上）。

由此可知，盘口决定打法。剑法如是，诸器如是，拳法亦如是。张孔昭《拳经拳法备要》云：大凡交盘之法，先固自己，再应他人。并释以走左右盘开法，走中盘闩法，走外盘闩法。凡此三盘，须起里手妙诀，而其中要分托、交、挽、拉之异。走左右，须用挽拉手；走中盘，是用交手；走外盘，是曰托手。

此法虽以贴身打跌为主，但盘口不同手法也应不同。盘口，于我随彼起打方向、路线、距离，于彼到身被打击时的身位、势位、部位。

所谓中盘，形意拳谓脚踏中门夺地位，就是神位也难防，宜用撞法，与闩法正合。

所谓边盘（散盘），八极拳之“霸王硬拆缰”，通臂拳之“前劈横”，走“之”字线路，与开法正合。

所谓外盘，（彼之身后位）“霸王摘盔”“捎锤”之用盘口，名“反盘”，最为凶猛。前撞与闩法合，亦可后拉，造彼后背对我。

《武编》有诀：你行当面我行旁（谓横破直），你行旁来我直走（谓直破横）。

《渔阳剑经》所言“三门”是于我而言，进攻无非龙蛇虎。

《拳经》所谓“三盘”是指到彼身而言，无非中、边（散）、外（前侧后）三个方位。虽则言二，实则为一。出之曰门，攻入曰盘。皆以我顺人背之为用，行以实捣虚之便利，唯此方能快打慢、硬打软、奸打憨。

更细究之，大凡交手、进退不外左、中、右三门，击打不外上、中、下三盘。

进退虽有三门，实则只分里外（身之前后）。击打虽有三盘，亦只分里外。

较技虽然势位可占先机之利（见势位占优的诀窍），然交手必以步法为源、身法随行，手法顺身法而应。须适我顺人背之势，以制彼长为短，我则以长制短。长则重击可出，顺则以快打慢，以实击虚。

攻行击打对手须以入身为目标，正如《拳经》歌诀所云：圈里自里裹打开，圈外自外裹入来。拳掌响处前无间歇，骨节摧残山也颓。又云：长来短接易入身。入身跌拔好惊人，里裹打开左右角，外裹打入窝里寻。说的是一个道理：要打入两臂之内围，一是源于破开敌臂犹如打开城墙，自可攻城夺地。二是源于身体肌肉骨骼弱且多要害之处，外则多肌肉筋骨，抗击打能力强。对此学拳者不可不知。

（四）要害，攻击的目标

从一般意义来讲，兵法进攻主要有三个方向：一是敌人力量的薄弱处，二是敌人的后方和侧翼，三是敌人的战略重地。对于交手打斗，无非也有三个目的：一是对手防守薄弱之处，二是对手后方或侧面，三是对手的要害部位。这样的选择，最终是要取得以实击虚之效果。

所谓打中要害，武林江湖中公认的有插眼、断喉、踢裆等。中之一法者，则必受重创。然而这些都是一般意义上的要害。如果一个高手懂得五峰用要，再经过击打沙袋、木桩的长期训练，其肌肉与骨骼密度则异于常人，如又能掌握瞬间发力之法，着之彼身则骨断筋折，于对手而言又何处不是要害。之前所说要害实则是以弱胜强的方法。训练是以强筋壮骨，增加体力与爆发力为宗本，坚持用实力说话，不可讨巧自误。亦必应知五峰用要之意，方不失之偏颇。

王勃生老师总结的五峰用要可以借鉴：五锋者，打斗所倚身之五处之利也。

如虎伤人在爪，牛伤人在角也。打斗伤人唯头、手、肘、臂、肩、臀、胯、腿、脚，肩胯的肢节之根，非可称锋，不论何处。五锋之用，须明其要，用不得法，其锋不利，亦伤其锋，故需细究。扬其锋长以利其效，亦要避其锋，以免两败俱伤。

（五）门子，激承约连换

做文章，讲究起承转合；说相声，讲究铺垫系抖。各有各的门子，或称技巧，实质就是一个流程。那么武术的门子是什么？谓之曰：激承约连换。

激：有三层意思。一是轰。目的让对手动起来，只有对方动起来，我才能找到对手的破绽，为承也就是下一手做铺垫。二是哄。调动对手顾上失下，为指上打下、声东击西创造条件。兵法云，打其必救，攻击所救。武者云，打其必救，攻其暴露。三是问。古拳谱有云，有问必有答，不答就挨打，应则必有变，变则先手占。

承：起承转合之承，铺垫系抖之垫，是承上启下的关键。无承则不能接下，不能转势，则无法连续进攻。承是刚与刚相连之柔，柔与柔相连之刚，攻打转换之枢机，不可小视。

约：大道至简，简约为用。以实击虚，以硬打软。约还有一击必杀之意，去华而不实之谓。武术对决，不可有花法。花法乃自寻死路之门径，真习武者必须弃之。

连：连续打击之意。一击不能必杀，则必须施以连手，连手可使敌首尾不相顾，疲于应付，处处被动，我方则占主动，后手之快亦可补前手之失。乱拳打坏老师傅即此理。

换：以我缓处换彼急处，以我实处换彼虚处，以我刚处换彼柔处，以我之抗打之处换彼之薄处。有时故意把抗打处给对方，让对方打，以换取有利于我的态势，以小牺牲换取大胜利。

（六）身法，低人一等与高人一筹

人立斗场之中无非三个维度，上下、前后、左右。两人打斗，以步载身，步量前后，左右空虚无须多虑。故身法高低伸缩历来为拳家秘要。

《拳经》有云：凡与人对敌之时，身法带缩，腰法带弯，偷步宜快宜活，须脚趾粘地。两手必换护，两眼必射敌人。身手一动，即以身法、步法击至空处，此密法之要诀也。

又云：拳家秘要，总要有一个身法。身法者，亦如用兵之有主将也。然身法道理，最难至妙处，亦且众多弊处。何则？身法贵乎低，然低而腰屈，则腰失其真矣。身法贵乎坚，然坚而头仰，则头失其真矣。甚至有手脚到而身法不到者，有其锋反逆者，此大弊病也。

习武之人，讲究低人一等，才能高人一筹。这不仅是讲习武者应有谦和的态度，更是临敌的身法。临敌时身体重心下沉，手肘护头护胸往前抵，侧身偏进，目的是缩小对手对自己的打击面，暴露对手的受打击面，同时奋力向前夺敌脚底占位，旨在破坏对方的重心与防守。此法看似平淡无奇，实则制胜之要。

《拳经》中“口传百法”称：“人练打之时，肘、胯、肩先下，是紧要关头。譬如一动手时，而两肩一跌下，则身法自然低，随身转打，俱是恰对敌人空处，则所谓避实击虚之法也。”

（七）一对多，亦有法可循

无禁忌、无规则的一对多，是检验一个人功夫高下的终极考场。能于一对多中无往而不胜，是许多武者不懈的追求。一对多，看似艰难，实则亦有原则可循，有法可用。

《少林棍法阐宗》有以下记述。

或问曰：如遇十余人，四面围合，何以出手？

余曰：艺中有指东击西，视南攻北之法，如我见某人弱可击，必先张威贾勇，佯敌乎强，忽然击弱，攻其无备，围斯解矣，此所谓寡可敌众也。

或问曰：即得出围，大或排一字，或排雁翅，欲复围我，何以御之？

余曰：凡敌只怕背面两受其敌，如彼人多，我则抽身只对右首一人，则众人皆在我面前，而背后可无患矣。此所谓一面受敌者也。

或问曰：虽一面受敌，群如同进，何以应之？

余曰：艺中有佯输诈败之法，故我抽身而走，则彼必追。然追者虽众，不能无先后，吾取其最先者，而奇以击之，此谓以弱胜强者也。

笔者根据所接触的沧州诸位武学老师提供的经验，总结出一对多的十个原则：

1. 要用游击战，要迅捷机动。

2. 要充分调动敌人，领着对手打。

3. 要声东击西，指上打下，出其不意。

4. 要先打弱的、慢的、软的。

5. 要气势胜人，视敌如草芥，看虎如猫。

6. 要走众人边锋，让眼前敌人成为其他敌人之屏障。

7. 要利用一切可用之物，即便抓一把土也可以用，不要赤手空拳。

8. 要下狠手，争取有打倒一个吓走一帮的效果。

9. 要大喝一声壮胆扬威，发出怪声摄敌魂魄，一惊而击败。

10. 但凡条件允许，就不要恋战，冲出包围，能跑多快就跑多快。

此亦为一得之见，管窥之思，仅供参考。

四、招法层面

（一）套路与功夫

武术的宗旨是运用，其核心是技击。古法套路是预先设计的攻防技法程式，意在锻炼人的攻防意识。然而今人练套路多以讲求花式，崇尚美观为目的，渐失攻防之意。

套路者，套也，久为套路羁勒，必束缚心智。俗言“待到用时，忘了招式”。有形有相皆为假，无招无势方为真。套路训练求复杂多变，呈美观炫目之能。套路之于武术对抗，非无以为用，却是舍近求远之法。

散手训练以一拳一腿，加以组合，反复强化，简约为用，形成肌肉记忆，出手必有，最为实际。所以非套路不可为用，若用必须分解拆开，认真验证，去其华而不实之处，并反复锻炼，方可用于实战。这也是为什么大多传统武术习练者挑战现代搏击习练者难以制胜的原因。致力于传承武术宗本者不可不察焉！

古人看重实战，武术亦为谋生技能，讲求一招制敌，要求功夫之身。

形意门里有半步崩拳打天下的说法，可谓一招鲜吃遍天。《手臂录》里的练功方法，无非一扎一拿、一拿一扎的反复组合而已，日扎千遍。《剑经》里所讲的棍法也无非一打一揭、一揭一打，通身着力，打遍天下。苗刀实用之技无非撩劈组合，反复习练熟能生巧，巧能生神，对敌实战就足够用了。功夫成功，彼我器械相交，彼器碰着即飞，我则以器搏肉身，为何不胜。

如果习武者，以用为宗本，讲绝活，说秘法，就是要克制多学的欲望，积年累月练好一招，一招鲜吃遍天。实际上，在通臂门里有二十四势。之前师父教徒弟也只教一个撑，一个斩。习练熟练，实战就足够了。

坊间流传着这样一个故事。说一位老拳师领着一群徒弟练武，徒弟们资质不一，有灵透的，有愚钝的。其中有一个看着不灵透的，大家叫他傻柱。老拳师教套路，聪明的一教就会，再次点的时间长了也就会了，只有傻柱怎么教也学不会。老拳师没办法，告诉傻柱只踢树桩。三五年过去了，每个徒弟都觉得很有长进，老拳师也很满意，而傻柱只会踢树，几年下来踢坏了几棵大树。有一天来了个踢场子的高手，结果把师傅和徒弟都给打了。逼得拳师没办法，正想认输，傻柱站出来说，我试试吧！谁知上去一脚把对手腿踢断了，完胜！所以，不要把武术的招法说得太玄乎，太复杂，所谓“千招会不如一招熟”，习武要“取之于博，用之于约”。

功夫不是练给别人看的，而是练给自己用的。把势不是用来炫的，而是用来战的！真功夫是从枯燥中磨炼出来的，不是说出来讲出来的，四个字“练就是了”！

如果练功有心法的话，那就是克制人前表现的欲望，克制好奇心，克制贪求之心。用心一处，无事不成。或许这才是真正的不传之秘。

从这个角度讲，习武和做人做事是一个道理！

（二）江湖秘钥

古代武林跑江湖的人有很多讲究：

夜路走暗不走明，暗为路明为水；

过墙角走大弯，防转弯处有人偷袭；

打店先踩点看有几个出口，以备逃生之用；

睡觉脚冲门口的方向，有情况能起身就走；

在饭店座位要背墙冲门，不背窗而坐，防人偷袭；

打斗场站在上风口，背阳光站立，手里抓把土眯眼之用；

如有土坡抢占高位，上打下不废蜡；

情况不明时两手拿起或抱拳作揖，以示其弱，或双手抱肩，或摸耳，以肘尖对人。若对方突然发难，则用肘直接撞过去，击彼胸膛或头脸，以求自保；

打斗起来，但凡有可抓之物绝不空手；

若情况复杂，只有一个字“跑”，两个字“快跑”，三个字“玩命跑”。三十六计走为上计，快速脱离危险是非之地，不可丝毫迟疑。

江湖套路看似下作，实则是教训，甚至是血的教训总结出来的保命之道。从这些方法的本质意义上讲，都是对抗之前的设伏，也是武术中讲的伏机之意。

从狭义上讲，伏机讲伏藏杀机。势占先机者多算能抢，抢先机为制胜之秘钥。先机之妙，在开宜攻，在闭宜守，势如伏机，人莫能知。吴殳著《手臂录》中有云："机者，弩机也；伏而待用者也。惟枪亦然。收者发之，伏机也；进者退之，伏机也；退者进之，伏机也；左者右之，伏机也；右者左之，伏机也；上者下之，伏机也；下者上之，伏机也。此说精妙，岂惟枪亦然乎？"

器为手臂延伸，用器降人在器之技，技在人能驭器，徒手相搏与之类同。手足为较技用，拳打脚踢肘撞膝顶。攻防转换中，杀机伏藏，皆以先手伏机，利用环境占势位之先，亦为伏机之用。

伏机者，有蓄势待发之意，如枪上膛、弓拉满。一旦发机，其势必险，其节必短，疾如闪电，迅雷不及掩耳之势。

非只出手迅捷之效，亦是伏机造势之功。先机已得，岂有不速之理，有备打不虞，焉有不胜之理。

所谓江湖秘籍，其所用之法不外乎行攻守、伏造势，而表现出不同形式罢了。从伏机的秘钥，江湖之为用，不过是预设伏机的方法罢了，无他！

（三）挤着打

古今中外，武术制胜的道理是相通的。迈克·泰森取胜的比赛都是本能地头向前顶，身向前挤，逼对手向后仰，抓住战机，一记重拳结束战斗。当挤动对方之时，即是击倒之机，而与伊万德·霍利菲尔德的比赛中，明显看得出泰森挤的架势，被对方抗住并予以反击，造成其重心不稳，手段使不出来，所以只能玩赖咬耳朵了。临场较技，尤其是擂台上，挤着打是一个重要的制胜法宝。

要挤就要挤出压迫感，挤出气势，方能逼对方就范，产生退意，产生防守本能。对手一旦出此二意，我之制胜之机必然产生，于敌则是由胜转败的拐点。挤着打，三个字看似简单，却是先胜之形，以形制势、以势制机的重要手段。攻防转换之机会全在此处，不可小觑矣！

八极拳之所以刚猛，全在挨膀挤靠之形。有八极拳师说过，练八极拳要有身后是悬崖的意识，不能让对手把自己挤向悬崖，只能奋勇向前，挤对方入身后悬崖。虽是比喻，其理甚明。退则必败，败则无异于落入悬崖之中。

兵败如山倒，后退如兵败。后退，一在其形，二在其神。形神俱退，则必败无疑。所以有“脚踏中门有敌位，就是神仙也难逃”之说。挤着打，以身形欺敌，但见敌有退意，则猛打、猛攻、猛追，所谓以形造势、乘势用势也。借势用机，软不得，慢不得。机不可失，失不再来。激水之疾，至于漂石者，势也；势鸟之疾，至于毁折者，节也。故善战者，其势险，其节短。所以挤着打就是快速接敌、势险节短的最好方法。

然而，实战情况多种多样，瞬息万变，必须因敌制胜。放长击远、诱敌冒进、声东击西、反败为胜之法，亦是因时因敌、以形用势的方法，万不可拘泥以自误！

（四）过位的技法

搏击的本质就是移动的艺术。之前有一种武术理论，倡导技击中通体同动，大形过位。通俗地讲就是以整劲超越对方重心的技法理论。要实现这一技法，全在移动，全在以步胜人。武术界有“教拳不教步，教步打师父”

一说。

张孔昭的《拳经拳法备要》中有下盘细密秘诀，以为“其所取胜于人，全在此处”“可不藏之，以为防身之秘要哉”。

现将所战双管、中管、外管秘法摘抄之，以供习者借鉴。

双管秘法第一

将右脚放在他人左脚外边，或者三五寸，然后右脚缩为一体，只需要悬空离地，臀与大腿、膝尖，从人腿边软处，并膝腕处，尽力一齐压下，则人之左脚自然离地，而我之右脚，已射过他人右脚外边矣。此双管之妙处也。

又附张先生歌诀：

双管之法果稀奇，须记脚尖是线羁。

其力要从软处得，将人双腿一缚之。

中管秘法第二

走中盘，必将左脚偷在他人右脚里面，或离三五寸。先以脚尖射入，须是一齐插进，而臀亦紧贴身为满盘。此中管之妙，不可不知也。

又附原歌诀：

中管之法果奇焉，膝尖好似箭离弦。

其力放知一片入，将人掀跌自天然。

外管秘法第三

走外盘，必将在脚跌一步，离彼脚或四五寸，除下腿心、腿腕、臀与大腿亦须一片用力，又有以臂从人腰下软处坐进，亦是猛狠。

又附歌诀：

外盘管脚实难当，猛虎倚山势更强。

身臂一片须颠进，将人掀跌独擅长。

所谓管法就是以脚制脚、以腿制腿，属于下盘打人的功夫，是以步胜人之法。用腿用脚，非止腿脚之踢、蹬、踹、扫、劈，挂、撩、勾、挞、提之意。因为管法隐其形于步中胜人，故称为秘法。

《苌氏武技书》序中亦云“言仆人则必前脚速进敌之身后，而不拘人脚之内外”，亦是大形过位，超对手重心之法。与管法同理同意。

（五）打人如走路

形意拳讲，打人如走路，发人如薅草。

打人如走路，讲的是运动中发力的技术。可以武断地讲，武术中最难练的和最实用的就是运动中发力。如果练成运动中发力的技术，即高度的机动性，加上瞬间发力的技法，就会在实战中增加更多胜算。李小龙曾经讲过，武术是步法移动的艺术。其表达出了武术要追求的境界。

在擂台场景中，与人较技，拳来脚往，进退顾盼，必须要靠运动中发力，以求制胜。在街头打斗中，左躲右闪，声东击西中，为死中求活之法，更需要在运动中发力，以解危难。

传统武术中的很多拳法，为一步一拳，讲求落步成桩，基本上都是静态发力。诚如王勃生老师言：无有行进发力，不动如山尚可意之，动如脱兔实不能为，纵有千斤之力，亦如泥胎，其奈我何？

故而，习武者必须于行进发力上下功夫。

无论擂台较技，街头打斗，甚至战场杀敌，谁的机动性高，谁就多占优势，谁就多了制胜的把握，谁就多了保命的资本。尤其是街头打斗，往往事发突然，一对多、多对多混乱不堪，谁站着不动或行动迟缓，谁就是活靶子。即便再快，若无行进间发力之能，无进攻之力，亦不能自保，而况克敌制胜？所以行进发力技法应为武者的必修课。切记切记！

近年来，传统武术师傅与自由搏击习练者较技，多败者，分析其致败原因有一条，那就是前者临场机动性差。平时讲手粘黏连随，吸承化发，身法手法很是纯熟，但多是原地不动之法，用于实战，于运动之中，则着力无依，纵有千斤之力，巧夺天工之法，然一动则不会发力，技无可施，焉能无败。沧州有拳名通臂者，激绞连环步，专练动中发力。有志于此者可尝试习之。

其行进发力并不玄妙，都是可以练出来的。但话又说回来，虽不是玄学或高科技，但不练不有，不下苦功夫不能得之。俗云：练什么有什么。平时练功之时须多多留意，所谓念念不忘必有回响。无论单操、连手都要把步法加进去，找出行进中顺畅的发力方式和劲路。要窍在于发力时要与脚之刹车力一致，方能使力道劲足且有整劲。要多试多找，久久为功，必有其成。运用于实战自会以步载身，以身助臂，筋骨一动无有不动，而非桩法之谓整，乃是步法随敌起停，手法随势发力，他法行，我法随，收放自如，方为境界。自能打人如走路一般，勿须思量。

（六）距离与安全

唐顺之的《武编》有云："长拳变势，短打不变势，逼近用短打，若远开则用长拳。行着既晓，短打复会，行着短不及长矣。"沧州有"通臂加八极，神仙也难敌"之说，通臂拳放长击远，属于长拳；八极拳挨膀挤靠，属于短打。正如武术谚语"长拳兼短打，如锦上添花"一样，实质都在强调进攻距离。

还有的拳理以对方的身体为目标，更详细地说明了距离的运用。如活有外门，非外门及门外也。盖拳之催人必近其身，方能跌出。如物之藏室，不得其门而入，纵有神手，不能为也。

手之门有三：手腕一也，此大门也；肘心二也，此进一层，外二门也；膀根三也，此更进一层，三门也；进此门已近内院，可以升堂入室矣。

古拳谱所谓破门进攻的方法有二。

其一为推门而入，“闻之，与人交手，先有夺人之气。夫交手而拦其手，谓之头门；拦其肘，谓二门；制其膀根，谓之三门。故必出手先制其膀根是谓登堂入室，探而取之，彼自不能转手，而纵横唯我矣”。

其二是打门而入。即若论开门，无分左右势，我手腕硬骨处，插入肘前软肉上，用力劈之，如执斧破柴之状，将人胳膊劈下，握拳随之落点，始能得势，而人不能滑脱。

故交手只在手腕者，则屈伸往来任意变化，无穷无尽。手捷者先得，手慢者吃亏。终不能催人，一点即倒。招进肘心者，虽进一层，亦要此处留心，邀住他手，粘连不离，随我变化任意挥使，无不如意，他自然不能逃我范围。

以上皆以距离为用，斗场距离又分安全距离与攻击距离。

安全距离又分为手距安全距离和腿距安全距离。手距安全距离，即大于对手手臂攻击所能达到的最长距离；腿距安全距离，即大于对手用脚攻击所能达到的最长距离。亦有贴住对手，或超过对手攻击身位的距离，两个距离等于或小于零，则为安全距离。

攻击距离由远及近，分为脚攻击距离、手攻击距离、膝攻击距离、肘攻击距离、胯攻击距、肩攻击距离以及错开身位和全身过位超重心攻击距离。

以上为相对静态的距离，如对手善用飞膝或后踢，即错开身位依然能有效攻击，不在此讨论。

俗话讲：拳快不如半步跟。斗场距离之安全或打击是动态的，须以加强灵活机动为要。如果有利于防守与进攻，则以位置区分为安全位置和攻击位置更为实用。按照击打的方式和线路，分点打击、线打击、面打击。点打击，如刺拳、直拳；线打击，如摆拳、前后横拳、挑劈拦；面打击，如贴身靠或弹撞发放。

从大的原则上讲，凡攻击点、线、面打击不到的区域都是安全区域，除格挡硬开之外，左躲右闪和后撤下潜都是避开对方打击的有效方法。

对于进攻来说，有利于我不利于敌的位置都是安全位置。古拳经讲：会使横斜走半边，以求人背我顺。都是在抢安全位置。有诀云：

与人对敌要推详，身体从容不用忙。

躲拳须要侧手防，破敌全凭一双眼。

他拳放过须忙进，腋下轻舒难抵挡。

若要短手敌长手，跟到腋下是良方。

身法总是一个横行直撞，所谓侧身偏进也。最为便捷的方法是：与人对峙之时，须要平心舒气，敌人一动，则膝脚踏进，更以我之手、肩粘住敌人胁边，转身一齐着力，则敌人自难逃闪矣。

（七）惊诈与神打

变脸，此变脸非川剧中的变脸，但又有共通之处。武术中的变脸有两层意思，一是向攻击的方向甩头，头为一身之舵，可以定位打击的方向，增加身体转换的速度。二是讲面容的变化。平常和颜悦色，临敌面相骤变，震破敌胆。

这个解读与江湖武术中神打有异曲同工之妙。所谓神打，即以己之神打彼之神，不战而胜。或惊诈之力，或功力发放，或隔空打人，或眼神杀人，或神到敌飞，有玄幻意味，或有或无不做深究。

神打的另一种说法则贴近事实，即用一切手段，包括断喝、怪叫、飞物、虚晃、言语等分散对方的注意力，或造成对方愣神，或产生恐惧，或形成慌乱，或打压对方自信，或引发对方顾虑，或造成对手怯战，不一而足。

总之是让对手自动放弃抵抗力，失去战斗力，取得不战而屈人的效果。

对于这些解释，作为习武者当成知识了解即可，虽非皆为旁门左道，然真正的武者还是要以强健体魄、习练功夫为宗本。

（八）不丢不顶

太极拳推手讲究不丢不顶、粘黏连随、引进落空合即出。应该说，这些理论在太极推手中有很强的指导意义，十年纯功能够运化者，出手发人亦能出神入化。这些都有个前提，必须是两人打手接手之后，身随他转，在接触点上不丢不顶。然而，在实际打手过程中，我用断手，不给对方搭手接手的机会，对方没有了接触点则无法粘黏连随、不丢不顶，这是个很尴尬的问题。而且古拳经中早有论述，两人行招，接手、留手均是败招。如果是这样，是不是不丢不顶的原理就不适用了？那么在打断手的前提下，应该怎样理解不丢不顶？

实际上我们这样理解：不进入对手的打击范围，即是不顶；让对手逃不出自己的打击范围，就是不丢。这样就避免了对手不给自己接手机会的尴尬，也符合守中用中、避实击虚的原则，也能够解释得通引进落空合即出之意。合者，凑够了我之打击条件，就是合上了，接不接触、搭不搭手不是合的必要条件。如果这样解读可能更符合实际情况，而非太极推手视频中解释的自己的肩、肘、膝、胯与对手的肩、肘、膝、胯一一对应，实际上是不可能的，打斗在电光石火之间，怎么会有机会一一对应，这只不过是一厢情愿的想法而已。如果仅限于推手，则慢慢找也没有什么不对，可仅限于此狭窄的认知，并以此为追求目标，如示人教人则难免偏颇。

实际上，在实战中顶与丢、不顶与不丢都是用法。

若自己功力深厚，把握时机纯熟，对手进攻之际，打对手未发全力之前，让对手打手即飞也是常法，这就是用顶之法。

若对手来势凶猛，直走中门，我避其锋芒，用闪转腾挪之法，走偏门侧门以避实而击其虚，这就是用丢之法。

若对手直力打我中线，我接手拧、裹、钻、翻以横力、螺旋力破其直，用我的直力打对方之中线，得机即发，即是用不顶之法。

若对手无心恋战，伺机逃出圈外，我以灵活之步法、身法紧随其身，裹罩对手于我之打击范围，无法遁形，即是用不丢之法。

所以，在习武过程当中，对拳诀、拳论不要过度解读，执于假想，还是要实事求是，结合实战真实条件，加以灵活运用才是正途。

五、技法层面

（一）技法总说

武术技法，应为实战技击的方法，俗称把势。把势、把势，全凭架势。武术传承以势为载体，武术套路皆图文并裁，以图解势。然势者所以为变化也，只因一势难寓变化之状，一言难决胜负之机。所谓说势言招，实质是不同打击路径及发力方式不同而已。单招复势及套路，无非是打击路径和发动方法变化、联结和组合而已，没有什么玄奥，勿故弄玄虚。切勿以说势言招逞能，误导初学，失去本真，而入歧途。

以力的打击轨迹可分为多种技法。以右拳为例如下：

从下向上，为提为挑；

从上向下，为劈为砸；

从右到左，为摆为拽；

从左到右，为反背为后横；

从后向前，为冲为撒；

从前而后，为勒为牵；

斜下，为斩不拘左右；

斜上，为右勾手。

以右腿右脚为例如下：

由上自下，为劈；

由下而上，为撩；

从右自左，分高中低，高扫高鞭，中扫中鞭，中鞭多用勾脚，名穿桩戳腿，低扫低鞭，低扫勾起脚尖，多用激步勾子；

从左向右，高为挂，中为摆，低为挞；

从后向前，正为蹬，侧为踹，低为铲；

从前向后，低腿用之，管彼膝脚，用蹚拉钩挂。多用于摔法且多为对偶之力，或本杆力。

对偶力反向同时发力，上拉下推，上推下拉，左拉右扯（八极拳之挂蹋），上牵下钩，不一而足；杠杆力多为一管一制，一动一静，以一处为支点，或脚或胯或臂，另一处发力致对方失去平衡，或跌或仆或掀翻。

此处不言拿法，只因拿为拙法，而实战多为断法，触之即走，故有巧拿不如拙打之说。唯军警捕人，以制服为要，愿学者自习无妨！

按力的性质划分，可分为弹撞力、拧转力、牵拉力。弹撞力，如刺枪、直拳、正蹬腿、侧踹腿；拧转力如棍之扫、前后横拳、泰拳中扫踢；牵拉力，分打之牵拉和拿之牵拉。打之牵拉，如勒；拿之牵拉，如摔法中的牵臂抓袖。以上各种力皆以爆发力为魂，以冷硬脆快为要。

沧州通臂拳械名家王勃生老师所著《沧州通臂拳械述真》一书，以实践为宗本，论述拳法、斗门、步法、桩法，以及苗刀、疯魔棍法，至为精当实用。余再论必有蛇足之嫌。故征得王老师同意，抄录部分内容，以飨读者。

（二）通臂八拳母

拳母者，拳法之母势，诸法皆以母势衍化成势法。如文字以“永”为母笔，诸字皆不出其笔画而习。大抵拳脚势法，以击打行攻守，其运行轨迹不外上、下、左、右、前、后、直、斜八向之势。故通臂拳法以挑、劈、横、拦、勒、撑、拽、斫为其母势，拳法变化皆从此出，其余为子势，百法亦然。其诀：

上挑下劈左右横，前拦后勒撑直冲。

拽飞斜上斫斜下，拳法百势不离宗。

拳势技法，不外肢体开合，顺阴阳行刚柔，认虚实以惊取，全在开合之中。八势之简，蕴无极之约，开合之功存天壤之别，若能勤攻不辍，则开心智合窍窕，大器可成矣。

挑法

拳由下向上直臂抡打谓挑。挑法，或拳眼朝上，或拳心向上，或拳背朝上，皆要拳锋领气，以肩为轴，中气顶腰灌臂力达拳锋。拗步冲起，两臂相交，前手下拍，后手挑起，用小臂崩格，闯门而入，拳打彼下颚。拳心朝上名“钩挑”，招位与擢挑相同，钩挑手臂略斜上。拳眼朝上曰“崩挑”，招位在彼小臂，以崩格为要。

挑打之法，右手上开，左手下合，右挑势尽而顺势下劈，左手用撑拦，此为二势连手组合。

开掌打裆部，挑斜变成撩法，此为击打下盘。又，肱夹胁，小臂不外展，阴拳上冲即衍变成炮拳。前手打挑，先进步拗身成后手再打则力顺，不违开合之道。

拗步挑，拳需上尽方合接下势之窍。顺步挑，拳从身前出，拗身迎前下潜，拳插裆起身上步即可。

劈法

掌由上向下直臂迎面破打谓劈。劈法，小指领气，掌外缘着力，形如刀斧状。里劈（正劈）时手臂应由外进，展臂合腕。外劈（反劈）时手臂应由里出，展臂翘腕。以掌下劈谓之“抹劈”，拳下劈谓之“砸劈”。劈法手臂不拘阴阳，后手里拨顺势前手劈谓“擢劈”，即“前劈”，前手抹开拗势后手劈谓“抡劈”，劈挂拳名“单劈手”。顺身势前手上崩连接下劈，或横截连接下劈谓“反劈”。小臂崩截阳出，下劈亦为阳手，臂拧螺旋劲力顺达。

擢劈用顺步，两手同向发力；抡劈用拗步，两手反向发力。反劈顺步进，前手劈后手扯。手臂略屈，拧身里裹可脱化成斫法。

横法

手臂左右平行击打谓“横”，以己身位分前后。前横，小臂略屈合腕，随转身拧转里掀。后横，小臂甩开挺腕，随转身拧转外展。手臂三节贯一，如木杠横击。拳掌着力打头面，前横平抽，后横平甩，平抽力点在扣腕，平甩力点在翘腕。前横变势成拽，微调力向，后横变势撩阴，垂臂屈膝。横力不需求直，与拽法横力求直不同。

后横进退施打用绞步，前横抱打破直来之法。连势用拦法甚便（即抱拦手），其势阴阳承转，开亦合，合亦开，极妙。

拦法

由里而外，小臂屈伸向前横击，前掌外缘着力谓“拦”。掌阴出于胸前，击打上盘断鼻梁、断咽喉，击打中盘断心肋。拦法讲究发力惊炸、横力直冲。

勒法

拳掌由前向后，裹力斜下击打谓“勒”。勒法势如挽缰拽马，前手搭捋，前足后撤变换身位，后手扬起随步裹打。又，前手搭捋，后足斜上，进身变换身位击打。勒法，方言称“捎锤”，专打后脑、砍脖子。搭手打肘关节，技法类似卡与斫。勒打之臂先曲后直，拳掌如钺斧样，劲走刮削。

撑法

拳掌直出谓撑（沧州方言），通称“直拳”，亦称“冲拳”。撑法极简，为拳术基本之法，两手前后交错，拳心相向，身步不拘拗顺。长势拳臂平行内转旋出，手背朝上，拳锋凝气，三节前挺则透力破壁。短势不须旋臂，拳背向外（即日字拳），发力如“火车”之力臂屈伸，转体蹬足爆冲寸劲。长势打头面，短势击中脘。

拳阳出上冲即转化为炮拳，拳阴出下插即转化为掖锤，此皆为撑之打法。开掌上冲掌根着力为撑之技法。前掌横出可衍化成撞法，单撞掌肘上抬掌外翻，力向外旋如揉面状。双撞掌肘下坠掌阴出，力由下向前上外滚。

拽法

拳斜出向前上方谓“拽”（沧州方言）。拽即抛、扔之意。拽法类似横法，但轨迹不宜大弧，非抡臂。拽拳之法，类于今之“摆拳”。两者之差，拳击摆拳横向发力，由外向里合，拽拳横直发力，由外向里斜前冲开。拽法前手打顺步，后手打拗步，如前手打拗步，则有半步之藏，此为通臂拳法用步之妙。拽拳发力，以大臂带三节，有拳带臂向前送之意，窍在挺肩扣腕，有抽鞭之脆。

拽打斜上或斜下，须横力求直，其窍在于身位。身步偏闪，可换出拳之位，横力直出，势长弧短，壮疾无比。三盘着位，以腿之屈伸调节高低。直上可变势挑法，屈臂成钩即是炮拳打法。

斫法

今多称“斩”（沧州方言，音 zǎn）。斫法即拳如斧砍锤砸之势。斫法手臂之形为上圆、中直、下圆。斫法路线为垂肘抬臂，拳掌自头侧出，大臂前顶，小臂下冲里裹，合腕，拳掌外缘着力。又，斫法有里外两势之分。以右拳为例，里斫势法拗顺不拘，右拳从右耳处向里旋砍砸。外斫势法拗顺不拘，右拳从右耳处向外砍砸。里斫之拳及小臂均可着力，拳着头而臂着胸，点面兼顾。外斫则以拳掌着力，击头连带肩胛。

斫打，拳迹行斜下，略异于劈法，斫势力厚，要在小臂拳掌同时着力，横力直出，同时混以撞击之力。斫法变势，混于劈、撑、拽诸法。自古拳家最重斫法，通臂之技尤甚。

综上，拳术不外乎此八势而衍出其他招法，腿法亦不外乎此八向之力而成势。膝肘简约，皆为拳脚之近身缠斗之用，能从拳脚互卫推演，膝肘之法则自知。

除以上八法外，还可衍生出掸法和撞法。

掸法

肩、肘一松，合腕手背弓或成拳，如鞭梢抖击谓“掸”。掸之法，前手外开，后手顿合，后肩顶前肩送力而出。此势略变其形，两手齐出，前手冲，后手催力，身步齐进曰“撞”。

撞法

撞有三法，一者用掌，两掌分开，前手在上外翻，后手在下，两掌虎口相对，掌力下按其胸。二者两掌相合（十字交叉），用前掌背撞击，后手辅助合力（势名合子手）。三者前手握拳（半握，耙子拳势）外滚向上送臂，后手为掌辅之。

通臂拳法，轻腿技而重拳术，亦有精绝之腿技为杀招。然何以轻腿技？先贤言：一、腿不能当手，连势不便。二、腿忌打高，起腿半边虚。三、起腿怕闯进，近身腿不得起。以通臂拳法之利，步疾进退莫测，手法攻守连密，用腿则居其次。故知腿之用，利在隐疾打其不知，防身御侮唯前后撩阴为杀招，游场较技有其限制，难与拳掌相敌，唯低鞭扫踢为杀势，习者须知其利弊。

（三）斗门五手法要

斗门，技击攻守之门户，俗称“架势”。防身打斗无须拿姿立势，只记“一狠、二毒、先下手”，信手而应即可。较技则不然，彼此皆行攻防伺机而动，故须立斗门以利攻守之便。明唐顺之撰《武编》载斗门之名有五，曰：圆光手、四平手、腮肩手、高搭手、沉坠手。余师有教，其势颇合其名，故从古人之名而释师传名势之法，以裨益习者。

圆光手伏机在外，实用在内；四平手伏机在后，实用在前；腮肩手伏机在内，实用在外；高搭手伏机在上，实用在下；沉坠手伏机在下，实用在上。左右换势，身法手法变化羁连，势势相制相顾，环无终极。

圆光手

势诀：空手布天网，罗雀机关藏。

不识斗门妙，轻入必遭殃。

势法：两臂屈伸，手指略弯，掌心相向，前手与眉齐，后手略低，左右拗顺不拘。其法在动，伸如张网捕雀，收如双龙盘珠。拳脚击来，截、卡、滚、错，如枪法封闭捉拿。圆光手变腮肩手用以封闭，变高搭手用以捉拿，上下皆可顾盼，攻守变势极易。

四平手

势诀：前手龙戏水，后手虎靠山。

龙隐身形时，猛虎扑出山。

势法：身势顺站成高探马步，前手下垂不过腰，上抬与颌齐，上下而动，竖掌左右晃动以障彼目。后手抱拳，肘贴胁，拳与肩齐置于胸前。出手可拳可掌，击打可直可横，左右身位互换，前后横直与势法相配合。《纪效新书》中“中四平”“高四平”势法与之类同。

腮肩手

势诀：后手腮前张，前拳膝上架。

迎锋双盘肘，瞻前顾上下。

势法：身势顺站高探马步，左（前）手下垂至膝上，松握拳。右（后）手变掌置于左肩处，掌心朝左，谓“钓马步”势。略变身形由顺易拗，后手下垂至腹前，掌心外翻，后足外扯，膝内扣，两足成不丁、不二、不八状，前臂屈肘至后肩颈腮处，掌心朝外，谓“拗势腮肩手”。

腮肩手立斗门，势位左右互换，拗顺羁连，则彼难窥出手之变，虚实无定，攻守兼备，惊取甚便。

高搭手

势诀：出手立高搭，扬鞭待催马。

里搭崩斩拦，外搭滚劈抹。

势法：顺步两腿微屈，足成雁行，重心平分如秤。前臂高扬前伸，略过头，手合腕仰出，手心向里，手臂成弓形。后手掌外翻，近前臂胸胁处，两臂交换上下可成腮肩手势。前伸高扬之手，不可握拳，中指、无名指、小指微曲，食指、拇指张开，如八字状。此手型松而力紧，紧而不僵，消打甚便。

用法：两人同向，里搭、外搭皆可，背向只宜外搭（详见势位说）。同向搭手里裹，背向搭手外滚，则力顺势捷，斩、拦、横、卡，诸势一搭即出。

沉坠手

势诀：有手不见手，无形任自由。

出手急如风，手到鬼见愁。

势法：此为放长击远之法，虽名斗门，实不相构。两步开外，搭手不及之距，无须立斗门。其势，两手下垂，松握拳，步飘忽雀跃，左右势位不定，俗称“吊诡步”。其法，突进剪跨打拗步，借出手之力一片向前，即“步催手带身起”之窍，拳脚长势专打皆从此出。拳打挑、拽，腿踢戳腹肋疾而硬。拳用之妙在无势无法，切不可固守一势而应万变。

（四）攻守八步法要

步者，行也，其为身动之本。拳势之用，言攻守，较长短，见输赢，皆以步为至要。先师言：拳倚步成势，法以步为先。俗言：习拳不知练步，较技难以出入。

古今拳家皆知步法之要，然精谙此道者甚少，古籍、今著涉步者多粗略，致今人攻少见其利，守少见其固，皆练步不合拳用之故。通臂拳法，下传练步备要，余撰八步之法示之，攻习者切莫轻视，久习自能验证先贤“胜人在步”之说。

步法八势名为：顺步、拗步、剪步、垫步、撤步、闪步、绞步、偷步。

顺步：两足前后站位，移动方向同向谓“顺步”，古称“探马步”。两足距略宽于两肩，屈膝，以进退受力平衡为度。顺势步前冲，动则前足后收成连枝步，以调节步距蓄力，而后足蹬起前冲，前足受后足冲力前踏，步幅视彼位而大小，后足随拖擦前行，调整重心以催前力。变势位顺步，后足蹬起前冲成前足，前足成后足略拖擦。顺步直力壮锐，横力弱钝。

顺步站位行进，不可三尖相照，求三尖相照者，谬也。我身与彼应侧而不条，面而不壁，则进退、闪身速疾不滞。行拳身太侧易变势不捷，直力难以尽施，横力难以相融，整体脱节。

顺步打连击，前手直拳击头或断喉，随步前踏后拖，以步点为节拍连密而进。

拗步：拗即不顺，前足与后肩同向为拗。拗步多从顺步起，打成拗步势，亦可拗步势起打成顺步势。顺步起打拗势走边盘，谓“横破直”，拗步起打顺势抢中盘，谓“直破横”。拗步变势在步走连环，其奥在“挤”，后足拗挤前足，随冲力成顺势，其速、力倍增，连击甚便。拗步直力壮锐，横力雄固。

拗步行进，沧州通臂门俗称“激绞连环步”（挤拗连环），古称“之字串步”，前腿弓，足尖略里扣，后腿屈，膝挤裆藏阴，后足尖亦里扣，足跟略起，以脚掌蹬实为度。窍在行进，后足拖曳擦地，如刹车状，轻急调节步幅大小。行进如“旱地行舟”，轻而固。能体认“旱地行舟”方知步中玄奥，习者务重视。

剪步：剪者，交叉也。以身为势，势位不变，两腿交叉行进谓剪步。剪步为两步行进之法，一步成拗，再进成顺，枪棍、刀剑之法多用，拳法之用在突进，即斗门起势、（中远距）接手、（近身）变势击打。剪步先问后打，走“穿林势”抢门（如高搭手）。如用腿，原地颠剪，不变势位，重心互移，前腿变后腿，后腿踢起，隐而疾，彼多不逃。

垫步：垫，覆盖也。以后足激起前足，后足覆落前足处谓“垫步”。前冲，前足发力；后撤，后足发力。垫步直起不变势位（顺），拳法宜用横势，腿随身、手同起向前，有飘滑之意。

垫步变势，须先跨一步（剪步），后足变前足再垫步起，此跨步为“轰”（激），垫步为“取”（打），用腿甚便，低铲断膁，中踹（侧、直）腹脘皆宜。

撤步：撤，换之意，非退。身势位变向，足换位谓“撤”。退是身足同向，双足同起后移，与撤步用法不同。撤步换身位为守固，隐藏攻行，非后垫步退避之法。撤步为打冒进者，守打之妙用也。习者须多留心于此，切记。

撤步变势于打，前手迎搭，后足拧转，前足后撤，后手变前手，横直相混于上冲，斫劈相混于下勒皆便。其要在前足后撤不可离地，离地则力散，难接下势连手。

闪步：闪，避也，打之势。避彼攻之锐而打其势衰谓“闪”，即“闪赚”。赚（zuàn），诳骗之意。闪为避实而击虚之步势。

闪步走偏斜，后足斜上，前足斜下，其身位随步变，步走十字，故又称“十字步”。后足斜上走“剪跨”步，前足斜下走“撤滑”步，横打左右“照封手”，斜下打“捎锤”。

绞步：绞，拧转。两腿相绕，身随腿开换转势位，如盘之旋，古称“玄步”。其法，进则后足前踏，前足后偷成绞拧状，转身仍成顺势位；退则前足盖撤，后足拧转成反向势位，仍为顺势位。此步法进退转打如“拨浪鼓”状，速疾势奸，进，打攻亦是守，退，打守亦是攻，玄虚之法，谁言玄步不妙。

绞步之法在转，方向为要，行招进退施拳脚，须击打彼身前（里门）方为窍，故左右转向须认势位。

偷步：偷步有前后偷步两法。前偷步曰“盖”。盖意为掩，步幅小于剪步，身不变势。后偷步即倒插步，身略缩，侧身向前。前偷步，前手随步起，连接拗步出拳。后偷步，前手随步落势，连接打腿法。偷步用低腿甚便，背身起腿，可踹、可撩、可铲，左右互用。

先顺步后偷步连势，后腿前冲变身位成前腿，后腿倒插前腿踢，亦可借偷步变绞步转身手打，步步连势人莫能窥。

拳脚势法之步，尽出于此，不敢言齐全，适宜拳械攻守者已无遗漏。步法为拳械势法行招之根基，万勿轻视。步法欲熟，能与势法相合，全在平日攻习。练步之法，初与拳势单操配伍，按步势习练，以增功力。然后与连手相配，步势亦相互搭配，步能载势法之变，势法亦能带步成舟，浑然一体，进退一片，轻灵雄固，势法之妙尽依于此。

（五）盘桩法要

盘桩，借桩具操练之法，武者必做功课，切不可以为可有可无。盘桩，刚能强筋硬骨，柔可接化感应。拳家盘桩如藏家盘玉，玉久把玩则润，桩久盘操则熟。人与桩舞，意与人搏，体认其性而知法度，及至较技。术能心手相忘，劲能筋骨感应，善功之课怎可偏废？

桩分吊袋桩（即沙袋）、人形桩（不倒翁）、木桩（子午桩），功能不同各有操法。沙袋、不倒翁为活桩，沙袋吊之下摆，不倒翁立之上摇，动态上下有别，拳脚击打，反应自然不同，上下分之，可迎可送，身形势法随之进退。大抵沙袋练拳脚之力及硬度，简便易行，人多知晓。

不倒翁桩攻习连手甚善，桩如人，头、颈、胸、腹、胁处处逼真，拳掌臂肘宜位而击，势法变化随心所欲。

木形子午桩攻习连手技法，别具其效，盘操技法，攻守兼备，且消打一体，久浸肌骨奇硬，触力如弹簧，软硬自如。总之，各类桩操练之法，各有其优，能结合混练尤善。

操桩之法各有千秋，今以亲验之法，择子午桩攻习之要，备有心者采摭一试。

子午桩样式：底座固定，立柱高 2 米，直径约 30 厘米。横杠长 90 厘米，直径 7 厘米，低杠距地 80 厘米，高杠距地 130 厘米，两杠相距约 50 厘米。杠高可视人身高确定，以腿微屈，高杠齐胸为度。

盘桩技法：劲力感应为首要，招势次之。桩虽死，盘操应活，进退、起伏、左右、拗顺，一如搏击而动。手、臂、脚，劲力依招法而变化，拳、掌、臂，以崩截、滚锉、勾捋、弹撞为式，疏密有节，轻重有度，触杠消格连接击打。

截，断意。拳脚横竖之交谓之“截”。直者横截，横者竖截，连消带打，上下皆然。

锉，挤意。小臂搭杠，外搭滚臂向外挤，里搭裹力向里带削，亦可沉压往前锉。

捋，带意。勾捋用掌缘，先由臂腕处搭杠。手臂外搭杠里，臂外旋翘腕向下捋带。手臂里搭杠外，里旋合腕向下捋带，亦可外旋勾格。臂外搭杠外（臂外）用採抹，手背向下划抹带即可。

捋法宜用前手，前手捋带，后手击打，开合而一方为合窍。单手连势，不拘臂里臂外，顺势顺力，掸拦撑撞势迅疾。打后捋带，手不空回，彼不得脱，身必向里，此时借力打力，膝肘连环锐不可当。

前述截、锉、捋三法，皆为击打铺垫，虽可退敌，终不能败之，故击打可用八拳母之劲力，唯弹撞之力为要。所谓弹撞，即受惊冷之击，现渗肌透骨之感。操桩之益，强筋骨增劲力，熟技法浸刚柔；虽不及与人实作，喻人而施技，横杠如臂、腿，竖柱如身躯，其为揣意，不失真作。

（六）脱枪为拳

器械是手臂的延长，手臂是缩短的器械。伸手拿起十八般兵器能样样精通者，放下兵器，徒手之用样样不离十八般兵器。形意拳讲脱枪为拳，枪法即拳法，拳法即枪法。无论刀法、棍法、枪法，都可以从拳法中体现，拳的用法也可用器械之法来丰富，拳械一如。

练武术不练器械，则少一门。戚继光《纪效新书·卷十四》云：此艺不甚预于兵，能有余力，则亦武门所当习。但众之不能强者，亦听其所便耳。于是以此为诸篇之末。拳法似无预于大战之技，然活动手足，惯勤肢体，此为初学入艺之门也。故存于后，以备一家。戚继光认为，从领兵打仗的角度讲，拳无预于阵战，唯惯勤肢体、活动手足之用，而器械才是兵家所必备。

现代习武者多以拳为用，专以拳法套路为功课，少有习器械者，精专者少之又少，缺失了增长功力功法的一种高效方法。因为器械是增长功力与协调性的重要方法，效果谁练谁能体悟，非言语能尽其意。尤其是八极、太极或形意门里的“大杆子”，枪长3米以上，枪重10斤以上。以戳革（拦拿扎）连环为其法，习练精熟，体力功力整劲皆出于此，用与拳法之弹抖发放劲力。习武者有条件的话应长短结合，习练大枪（大杆子）、棍、双手刀（苗刀）、剑法或鞭杆。俗云，月棍年刀一辈子枪。多从器械上下功夫，才不失为一名真正的武者。

（七）器用长短虚实说

于常人而言，在斗场与杀场上有两个伪命题：一是空手夺白刃。二是以短兵接长器。空手夺白刃，短兵胜长器，绝对高手对常人方有机会，否则千万不可为此类教学而耽误，妄自为能而为迷信所害。

古代兵器谱有十八般兵器，然能临敌防身制敌，以为用者，无非刀、剑、棍、枪，其余或重或异形且不能实际利用。能实用者亦可有其长短虚实，实操者不可不知其器性，而舍长用短矣！

枪之利在尖，唯有一扎为利。临场对敌，虚实为用。枪尖为实，枪身为虚，若能制其虚，方能控其实。故枪对枪，虽拦拿而不能制彼虚，虚不为制，则能生变化，故能活。若刀斫杆，削杆制其虚为实，实则不活，枪尖无以为用，故刀制枪能胜者必在斫杆、削杆，先认器而后认人。

棍之利在头，头之用唯打与揭。棍头为实，棍腰为虚，故粘其虚以制其头，则头无以为用。若活唯头根互换为用，虽然互换先手已失矣。

单刀（苗刀）之利在刃与尖，刃尖为实，刀背为虚。单刀对枪棍，为以短接长，枪棍若能制刀背与手臂，则彼刀难近吾身，刃尖虽锋，能奈我何？

若用刀、剑、鞭杆之短器，对徒手只需封闭五路，以击人之腕肘脚踝膝，则彼必为所制。彼出手我打其腕肘，出脚我打其踝膝，彼必无计可施。若用短器对短器，则以身法快捷、避实击虚之能，方有制胜机会。若想短器对长器，唯冒死扑身贴近，长器之利无能用其利，我之短器则任意施为。然而扑身而近需要极大勇气，还要冒巨大风险，非胆壮艺高者不能为之。

由此方知，器械有长短虚实，而扬长避短、以实击虚依然为接敌的不二原则。

以短接长，要先认器后认人，不制彼器之长，无以近身为用。以长敌短，要先认人，再认器，或可忽略其器用，只要保持适当距离则短器非投置无以为用。

以短接长，要以静制动后发先至，方为有效。以长敌短，要以动制静，先哄后发，才有杀招。不可一上来就招实用力，一旦用实若被人制住，则手足无措，难生变化则出败象，难以自救。

（八）武术，全在一个“练”字

武术说到底是人类的一门技能。任何技能都需要刻意的练习和持续的用功，方为功夫。所谓功夫，无非是在反复与持续的演练中获得技术由量变到质变的表达。武术的精髓全在一个“练”字上，无论练胆、练眼，还是练技法、练身力，只有通过练，才能领悟“下手着实功夫之门”的真谛，也只有练，才能明白和解决拳械技法中的实质性问题。因此，练手是撬动所有武术法门的支点，没有练习就没有武术。

从古至今，武术拳械的习练方法大致有四种。

一是空击，又名单操。以练势为主，其要在于习练者务必要眼前有敌，意与人搏，方为真练。与假想之敌攻守转换，奋力搏杀，不存丝毫懈怠，久则化育胆力，增长功力，提升技艺。

二是操桩。以桩为敌，其要在视静为动，重在习练如何攻守，如何指上打下、声东击西，子午桩、木人桩之要在于习练瞬间发力，增强抗击打能力，若能勤操不辍，临敌两臂相接，无相同功力者高下立判。

三是喂手。以人为辅，以我为主，以对手之喂招反复强化我之技艺，形成肌肉记忆，出手便有，为习练不可或缺的方法。

四是实操，又名实作。以技相当者，各使其能，真打实作，彼此验证所学技法。此法与临敌最为接近，要敢于真做，不可戏较。

在古代习练方法中，《纪效新书》与《手臂录》里的记述较为经典，引录如下，供今人参考。

《纪效新书》云：凡人之血气，用则坚，怠惰则脆。劳其筋骨，饿其体肤，君相亦然，况于兵乎？但不宜过于太苦，是谓练兵之力。

凡兵平时所用器械，轻重分量当重于交锋所用之器。重者既熟，则临阵用轻者自然手捷，不为器所欺矣，是谓练手之力。

凡平时，各兵须学趋跑，一气跑得一里，不气喘才好。如古人足囊以沙，渐渐加之，临敌去沙自然轻便，是谓练足之力。

凡平时习战，人必重甲，荷以重物，勉强加之，庶临战身轻，进退自速，是谓练身之力。

石师之教，先练戳，戳不许多，四伐、五伐则喘息汗下，止而少憩。又四伐五伐，以力竭为度。戳不力竭，则手臂油滑，初址不固，临敌无以杀人矣！以渐加之，必日五百戳，几百日而戳址固焉。四人之中，戳手惟君宣最劲最疾。

戳之后，乃教以革，革者垩（音 è）地置后踵，不得移动，移动则手不熟，乃使善戳者如矢如电以戳焉。革稍不合法，则杆必及身，颠扑于地。杆以革絮封其端，而又缚厚纸竹于前臂，然犹左腕、右臂青紫流血，恒不绝见。

练戳、革无终期，十年、二十年益善。余本书生，不能专其技，仅得三年之工。

戳、革既熟，然后教以连环。连环者，一革一戳，互为主客，欲相杀如仇怨焉……

戳、革、连环既熟既精，然后教以破法；“夜叉探海”等势；“中平枪、枪中王”等诀，百日事尽。

由此可以窥见古人练功之真味，也可以看出现代民间武术的习练方法与之有较大差异，庆幸的是现代专业搏击训练有很多方法与古人相通，而中国武术要想发展，民间武术则必须壮大。民间武术要想壮大，就必须有先进的训练体系。现代的未必全是先进的，古代的未必全是过时的。在这方面真正致力武术的传承者应该有自己的判断，找到适合自己的训练方法和体系，才是成功的始点。

跋

爱因斯坦说过，兴趣是最好的老师。凡是所谓的成功，皆始于兴趣，终于坚持。回顾我写这本小册子的历程，如果写出来就算成功的话，这一次“成功”确实验证了，哪怕是最不起眼儿的成果，都是兴趣使然，坚持使然，而之所以能够坚持，最终的动力依然是兴趣。

这本小册子也许是我对三个门类的学问情有独钟、天生热爱的结果。这三个门类是武术、军事和哲学。

对武术的热爱，还是源于电影《少林寺》的影响。这部电影在当时青少年心中播下了武术梦、武侠梦的种子。我看到这部电影大约是1983年的样子。那时自己家在农村，孩子都是自然生长，或者叫散养。自己大约十三四岁，正是有劲儿没处招呼的年纪。看到少林寺的武功心里早已沸腾起来，缠着父母要钱买武术书籍，自己制作沙袋绑腿，用拖拉机车轴做杠铃，练蹲立起。魔怔了一样，四处寻找练功的方法，苦于没有老师，只得自己瞎练一通。更可笑的是，练醉棍的时候把自己别住，好长时间爬不起来。

经过一段时间的折腾，还真练出了些名堂。正踢、侧踢、下叉、下腰的基本功都和书上的一样了，更神奇的是自己居然练成了难度较高的鲤鱼打挺，还教会了四五个小伙伴儿。练到手能摸到的地方居然毫不费力地爬上去。三米多高的正房说跳下来就跳下来，还要接一个鱼跃前滚翻。凭着一身"功夫"到地里偷瓜，从一人多高的篱笆墙一跃而过，调皮捣蛋得让大人们心疼。随着年龄的增长和学业的加重，武侠梦只能被压抑在心中，而多年以后，自己上班来到沧州，这是全国著名的武术之乡。有缘遇到了沧州八极拳名家赵维平先生，深为他深厚的武术理论与精妙的技击方法所折服，由此学习了八极拳、行劈拳。八极拳出手就打、简捷实用的技法使我窥见了传统武术的魅力。之后，经赵维平先生介绍，我结识了通背拳械名家王勃生先生。由此真正圆了我儿时的梦想，于王勃生老师处接触了通臂二十四势、苗刀、疯魔棍，使我进一步认识了中华传统武学的博大精深。他们二人的许多武术思想和武术观点深深地影响了我。

对于哲学和军事的喜爱，是自己上初中的时候，偶得一本红宝书《毛泽东选集》，小开本儿，红皮儿，字很小的那一个版本，看到里面的《论持久战》《矛盾论》《实践论》《中国革命战争的战略问题》《集中优势兵力，各个歼灭》等文章竟有莫名的兴奋。虽然不能完全看懂，却有爱不释手的感觉。上高中和大学时，经常拿着厚开本硬质封皮的《马克思恩格斯选集》如饥似渴地阅读，遭到不少同学的嘲讽。上班之后，凡是跟哲学和军事有关的书，必买必读，开国将军的军事文集、古代兵法、现代军事哲学理论都认真拜读。虽然是纸上谈兵，却从未感到过枯燥，竟还能乐此不疲。也许正是这种坚持和积累，使我有勇气把三者的原理结合起来思考，以哲学和军事的理论来解读武术，于是成就了这本小册子。要感谢赵维平老师和王勃生老师，没有他们的耳提面命，我不可能于武术走进去，又走出来，从武术的本质上去理解武术。更要感谢山西科学技术出版社冉宏伟老师对此书的认可和提出的宝贵修改意见，使这本书的思路更加明晰。

出版在即，希望有因武术而结缘的朋友们多多指教。

图书在版编目（CIP）数据

先手：传统武术技击解构 / 王长松著. — 太原：山西科学技术出版社，2024.9

ISBN 978-7-5377-6344-8

Ⅰ. ①先… Ⅱ. ①王… Ⅲ. ①武术—研究—中国 Ⅳ. ①G852

中国国家版本馆CIP数据核字（2024）第002005号

先手：传统武术技击解构
XIANSHOU : CHUANTONG WUSHU JIJI JIEGOU

出 版 人 阎文凯
著 者 王长松
策 划 冉宏伟
责任编辑 冉宏伟
封面设计 吕雁军

出版发行 山西出版传媒集团·山西科学技术出版社
地址：太原市建设南路21号 邮编：030012
编辑部电话 0351-4922078
发行部电话 0351-4922121
经 销 各地新华书店
印 刷 山西万佳印业有限公司

开 本 880毫米 × 1230毫米 1/32
印 张 3.875
字 数 62千字
版 次 2024年9月第1版
印 次 2024年9月山西第1次印刷
书 号 ISBN 978-7-5377-6344-8
定 价 28.00元